Un grand vent du large

Ma guérison intérieure
par le cancer

Réjane Briand

Un grand vent du large

Ma guérison intérieure
par le cancer

NOVALIS

Un grand vent du large est publié par Novalis.
Révision linguistique: Pierre Cantin, Lise Lachance, Jacinthe Lacombe
Couverture: Caroline Gagnon
Éditique: Suzanne Latourelle

© Novalis, Université Saint-Paul, Ottawa, Canada, 2002

Dépôts légaux: 4ᵉ trimestre 2002
    Bibliothèque nationale du Canada
    Bibliothèque nationale du Québec

Nous reconnaissons l'aide financière du gouvernement du Canada par l'entremise du Programme d'aide au développement de l'industrie de l'édition (PADIÉ) pour nos activités d'édition.

Novalis, 4475, rue Frontenac, Montréal (Québec) H2H 2S2
C.P. 990, succursale Delorimier, Montréal (Québec) H2H 2T1
ISBN: 2-89507-292-2
Imprimé au Canada

Données de catalogage avant publication (Canada)
Briand, Réjane, 1933-
    Un grand vent du large : ma guérison intérieure par le cancer
    Autobiographie.
    ISBN 2-89507-292-2
    1. Briand, Réjane, 1933- . 2. Guérison par l'esprit. 3. Cancer – Aspect psychologique. 4. Esprit et corps. 5. Cancéreux – Québec (Province) – Biographies. I. Titre.

RC265.6.B74A3 2002   362.1'96994'0092   C2002-941392-3

NOVALIS

Merci à mes enfants de m'avoir choisie
pour les faire entrer dans la vie sur terre.
Ils ont élargi mon être
et stimulé ma capacité d'émerveillement.
Ils sont ce que j'ai de plus beau et de plus précieux.

Merci à mes amours perdues.
Sans leur passage dans ma vie,
je n'aurais pas acquis la force
ni appris à croire en la vie
envers et contre tout.
Ils ont sculpté mon âme.
Ils y ont laissé des marques indélébiles.

Merci aussi à ceux et celles qui m'ont fait du mal,
réel ou imaginaire,
qui m'ont manqué de respect,
qui m'ont ignorée ou abandonnée.
Oui, à toutes ces personnes, je dis un merci sincère
puisque sans elles
je n'aurais peut-être jamais appris à croire en moi.
Elles ont été des maîtres efficaces.

Merci,
finalement, à la vie pour ses éclats de lumière…

Ce livre représente en grande partie le tissu de ma vie. Je l'ai d'abord commencé pour me dire à moi-même. Je ressentais l'urgence de comprendre ma vie et ce que j'étais devenue. J'avais besoin de me délester de croyances léguées par mon éducation ou glanées, ici et là, au cours de mon évolution. Tout cela appartenait à une autre époque et m'était devenu un fardeau. Je désirais retrouver mes vraies racines et mettre en place des balises fiables pour marquer ma route. Je voulais me confirmer à mes propres yeux et retrouver mon essence.

Alors que je me croyais en santé, un deuxième cancer s'est manifesté dans mon corps. En le découvrant, logé exactement au même endroit que le premier, j'ai été frappée de plein fouet par l'urgence de décoder son message. Sans hésitation, je me suis laissée pousser comme par un grand vent du large dans une quête intense pour trouver des réponses à mes nombreuses interrogations. J'ai fait ce livre avec l'espoir de réduire à l'impuissance ce qui a longtemps été occulté au fond de moi et qui m'a rendue malade. Je l'ai fait non seulement pour mon rétablissement, mais surtout pour comprendre la trame de ma vie et y donner un sens.

Le cancer est une maladie de l'âme, j'en suis maintenant convaincue. C'est un maître puissant qui nous met en face d'un choix : écouter le message qu'il veut nous livrer ou nous laisser aller à la dérive. Ces longs mois passés à me débattre dans les dédales de mon âme m'ont aidée à mieux le comprendre et à mieux l'accepter. La souffrance, passée ou présente, ne peut et ne doit pas être inutile. Elle doit plutôt servir de tremplin pour nous propulser hors du passé vers des horizons meilleurs. Sinon, à quoi servirait-elle?

Le rétablissement n'est pas l'affaire de quelques mois, de quelques traitements ou d'une seule thérapie. Un plan d'action pour tous les aspects de notre personne doit être suivi et maintenu, même quand la santé a été recouvrée. Non, il n'y a pas de répit quand on a été visité par le cancer.

Suis-je guérie? Je crois qu'il est possible de contrôler une bonne part de notre rétablissement. Je crois que nous avons le devoir et la responsabilité de décoder le message que nous livre la maladie. Je crois aussi qu'il est préférable de participer activement à un plan de guérison, au lieu d'attendre passivement les résultats de traitements que d'autres ont choisis pour nous. Malgré tout cela, l'aboutissement final du processus nous échappe. Parce qu'il ne nous appartient pas. Il n'appartient qu'à Lui.

1

9 février – Chaque fois, le même scénario se répète : je suis là, dans une petite salle blanche et froide où une technicienne prend des clichés machinalement. Dès qu'elle a fini, elle m'indique un petit tabouret, derrière la porte, sur lequel je vais me blottir pour attendre que le spécialiste vienne m'examiner. Puis elle sort, me laissant à moitié nue dans le coin de la pièce. J'attends, perdue dans mes pensées, tandis que les minutes s'écoulent au compte-goutte. Pourquoi faut-il que le radiologiste vienne palper ce que la machine a déjà capté sur la pellicule? Seule l'angoisse me répond dans le silence de cette salle d'examen. Difficile de maîtriser ma folle imagination. Pourtant, j'ai l'habitude puisque je répète la même démarche régulièrement depuis dix ans. Mais les idées alarmistes s'emparent de moi et me donnent l'envie de fuir. Année après année.

Ce matin, j'ai du mal à me calmer. Je me dis que je n'ai rien à craindre et que d'ici à cinq minutes je serai à l'air libre. Mais l'angoisse colle à mon plexus solaire. Ce malaise m'est devenu familier. Je suppose qu'il est normal quand on a déjà eu le cancer.

Le radiologiste vient pour l'examen des seins. Il effleure plus qu'il ne palpe ma poitrine tandis qu'un léger frisson me parcourt intérieurement. Il l'a ressenti puisqu'il m'offre un sourire embarrassé comme s'il voulait s'excuser de ce contact.

Dehors, je me secoue et je bois l'air frisquet à grandes goulées pour dissiper le malaise qui traîne sur mon corps. Ne suis-je pas de plus en plus forte à mesure que les années passent? Bien sûr que oui! Je me félicite de mon succès et de ma santé en me rendant au travail.

14 février – « J'ai reçu le résultat de votre mammographie. Il semble y avoir quelque chose de suspect... » C'est ce que le médecin m'annonce au téléphone, sur un ton banal, comme si on parlait de tout et de rien. Devant mon silence de plomb, il ajoute qu'il ne faut pas sauter aux conclusions. « ... Bien qu'un rendez-vous chez le spécialiste soit approprié, le plus tôt possible. Je m'en occupe, si vous le voulez. » Tout cela en moins d'une minute!

Mon Dieu, s'il fallait...!

J'accours au bureau d'une collègue pour parler tout de suite, pour évacuer la panique qui déjà s'empare de moi. Je lui raconte ce que je viens d'entendre d'une façon quasi incohérente et en cherchant mon souffle. Elle m'invite à me calmer et tente de me convaincre que c'est une fausse alarme.

Mais les choses se précipitent : une demi-heure plus tard, la secrétaire du spécialiste m'annonce, au téléphone, que le docteur me verra « en fin d'après-midi, si vous êtes libre ». Je voudrais arrêter ce qui est en train de se dérouler.

Mon Dieu, qu'est-ce qui m'attend?

Le spécialiste me reçoit dès mon arrivée. Il m'affirme tout de suite qu'il est rare qu'un cancer revienne après dix ans sans récidive. « Il s'agit probablement d'un kyste anodin, dit-il pour me rassurer, un kyste comme il s'en forme souvent dans les seins. Ils sont sans conséquences fâcheuses. » Il m'examine, trouve la bosse et m'invite à la toucher. Elle a la forme d'un amas plat, comme une masse étendue. Le médecin se fait encore rassurant alors qu'il enfonce une aiguille dans mon sein pour soutirer du liquide et peut-être vider le kyste. Mais la masse est solide. « Il faut faire une biopsie sous anesthésie, déclare-t-il, c'est le seul moyen de savoir ce que c'est. » Je le regarde téléphoner à l'hôpital pour réserver une place sur-le-champ. Ce sera pour vendredi prochain, le 23. Une telle rapidité me déroute.

Je fêterai mon dixième anniversaire le 25 de ce mois. Je m'y prépare depuis des semaines. J'y pense tous les matins, en m'éveillant, tant j'ai hâte de célébrer ma victoire. Dix ans à prendre soin de ma santé par toutes sortes d'études, de recherches et de soins préventifs. Un tel effort ne peut pas avoir été vain! Non, bien sûr que non. Cette conviction réussit à tranquilliser mon imagination toujours si vive à s'emballer. Je m'oblige à prendre de grandes respirations.

Ça va aller, tout ira bien... calme, confiance...

Hélas, ce calme forcé est bien éphémère. J'ai la pénible sensation de revivre le scénario d'il y a dix ans. Oui, c'est vrai, je suis fatiguée depuis quelque temps... Mais c'est normal puisque je viens de terminer une formation en médecine naturelle; des années à sacrifier presque tous mes loisirs tout en gardant un emploi à temps plein... Je suis si fière d'avoir réalisé mon rêve.

L'aurais-je fait au prix d'un cancer?

Je me compose une attitude décontractée, car je dois prévenir mes enfants. Ils restent sans voix. J'insiste : ce n'est qu'une biopsie, un moment déplaisant à passer. Ils me regardent d'un air incrédule et inquiet.

23 février – Une volée de papillons tourbillonnent dans mon estomac. Je prie silencieusement pour me rassurer, mais en vain. J'essaie de me concentrer sur le mot *calme* alors que les infirmiers roulent ma civière vers le bloc opératoire.

À mon réveil, une infirmière est à mes côtés : « Le docteur viendra vous voir », me dit-elle. Il arrive plusieurs minutes plus tard. Il prend ma main et me regarde longuement :

« Les nouvelles ne sont pas bonnes, finit-il par dire. C'est un cancer... pas une récidive, mais un autre, complètement différent du premier. Deux cancers différents au même endroit, c'est rare, et à dix ans d'intervalle en plus. On ne voit pas ça souvent!

— Non, ce n'est pas possible!

— Je sais que c'est un choc. Tout allait si bien...

— Je ne peux pas le croire! J'ai tout fait pour prendre soin de ma santé!

— Ce n'est pas de votre faute. Malheureusement, ce cancer est agressif et envahissant. C'est plein de cellules tout autour de la masse. C'est dangereux qu'elles s'en détachent. On ne peut pas vous laisser avec des cellules qui risquent de s'éparpiller ailleurs. Vous savez, on n'enlève jamais un sein à moins d'y être absolument obligé... »

Un deuxième cancer! Au même endroit que le premier! Ce n'est pas possible! Qu'est-ce que j'ai fait ou n'ai pas fait? Cela ne se peut pas! Absolument pas! Je refuse d'y croire!

Cette litanie de négations tourne dans mon esprit comme un disque usé. J'ai l'impression d'avoir reçu un coup de poing. Je suis assommée et j'ai du mal à reprendre mes esprits. Et en plus, il me faut l'apprendre à mes enfants... Mon cœur bascule.

Pas de drame. Ressentant tout de suite mon désarroi, les enfants tâchent de me calmer. Ils me taquinent même et m'assurent qu'ils ne me gronderont pas. Un brin de tendresse enveloppé d'humour dénoue les nœuds dans ma gorge et m'apaise. Je respire déjà mieux. Qu'ils me sont précieux!

Curieusement, je ne pense même pas au sein que le chirurgien veut m'enlever. Peut-être parce que je n'y crois pas. Je sais seulement que je rencontrerai d'autres spécialistes dans les prochains jours pour connaître leur opinion. Je verrai bien ce qu'ils diront. Ce cancer est différent du premier qui avait nécessité une mastectomie partielle. Celui-ci semble déterminé à me jeter par terre. Il attaque au même endroit, là où il y a déjà une faiblesse. Pour mieux me terrasser?

Eh bien, à nous deux, Cancer! Tu ne m'as pas eue, il y a dix ans, et tu ne m'auras pas cette fois-ci non plus! Jamais je ne baisserai les bras devant toi! Je ne plierai pas les genoux non plus! Tu m'entends, Cancer? Jamais! Je te refuse! Encore et encore! Voilà.

2

Les travaux de certains chercheurs ont bien démontré qu'il existe un rapport entre le diagnostic du cancer et un choc qui aurait bouleversé la vie d'une personne dans les mois ou les années précédant le diagnostic. Ce choc ou ce traumatisme pourrait provoquer la prolifération de cellules cancéreuses. Des chercheurs l'auraient vérifié dans des milliers de cas.

Dans mon cas, j'ai pu identifier les déclencheurs du premier cancer : le stress d'avoir à élever seule mes enfants et de retourner sur le marché du travail après seize ans d'absence. Mais qu'en est-il cette fois? En un éclair, l'évidence jette sa clarté crue dans ma conscience. Le film des événements des deux dernières années se déroule rapidement dans ma mémoire. Il n'y a aucun doute sur les conséquences néfastes de certains de ces événements. Ils ont contribué pour une bonne part à la défaillance de mon système.

Les déclencheurs, aujourd'hui? Non pas un mais deux, coup sur coup. D'abord lorsque j'apprends que mon poste a été coupé « à cause de la restructuration ». Je le reçois comme une brique sur la tête. Pire, comme une trahison! J'avais eu l'assurance de ma patronne que je ne serais pas touchée par ladite restructuration. Je m'en suis voulu âprement de ma naïveté et j'en ai voulu à ceux qui ont pris la décision de m'écarter sans m'en dire un seul mot. L'effet aurait été évidemment moins dévastateur si mes patrons m'avaient mise au courant des faits. J'aurais compris.

Le sentiment que tout s'était concocté dans mon dos, à mon insu, m'a laissée profondément blessée. De plus, on m'annonce cette décision alors que je suis en vacances! Mais ce qui a pesé le plus lourdement sur mon cœur, c'est l'attitude de mes collègues de travail.

Après tant d'années, pas même une carte de vœux, pas de repas de départ, comme on le fait souvent dans ces occasions. Rien, sinon une indifférence totale. Dix-huit ans au même poste! Quand je les voyais passer devant mon bureau du nouveau service où j'avais été affectée, je constatais qu'ils gardaient le cou raide et feignaient d'ignorer ma présence. Parfois, je les croisais dans le corridor. Dès qu'ils me voyaient, ils détournaient les yeux ou baissaient la tête et s'éloignaient rapidement. Je les regardais aller, bouche bée, incrédule. Encore aujourd'hui, je reste incapable de m'expliquer un tel comportement. Ils me savaient blessée, j'en suis sûre, mais leur attitude aggravait la blessure. Je me sentais trahie par ceux et celles que j'avais cru des amis. Comment faire les premiers pas dans ces conditions? Eux me fuyaient, pas moi.

Dans mon nouveau poste, au début, je n'avais aucune tâche ou si peu que c'en était dérisoire. « Prends tout le temps nécessaire pour t'installer », me disaient les patrons. J'avais le sentiment très net d'avoir été mise au rancart comme un vieux meuble. J'avais été traitée comme un pion qu'on déplace au gré des besoins du moment. Je tombais de haut. En parler avec la famille et les enfants ou avec des amies n'était pas suffisant pour m'apaiser.

Peu à peu, cependant, au fur et à mesure que le choc s'est atténué, j'ai commencé à voir les avantages de cette restructuration. Depuis un certain temps, je souhaitais quitter ce milieu où j'avais travaillé de si longues années. L'esprit d'équipe et la camaraderie avaient cédé la place à la jalousie et à l'hypocrisie. Pour tout dire, ce milieu malsain dégageait des énergies avec lesquelles je ne faisais pas bon ménage. Je me protégeais du mieux que je pouvais, mais je n'arrivais pas à dissiper la pollution dans laquelle je baignais. Pour tout dire, je ne me sentais plus à ma place. Je me forçais à rester en poste uniquement parce qu'à mon âge on ne trouve plus d'emploi. Du moins, c'est ce que je croyais. Eh bien, j'en étais sortie. Brutalement, mais qu'importe.

Avec le temps, j'ai commencé à apprécier l'environnement plus calme de mon nouveau milieu de travail. Aucun problème ne retombait sur mes épaules, je n'avais plus aucune responsabilité. L'envie de revoir mes anciens collègues s'était dissipée. Les responsables de mon déplacement gardaient leurs distances et c'était bien ainsi. Je ne voulais plus avoir affaire à eux ou, en tout cas, le moins possible. Et lorsque mes nouveaux patrons ont commencé à me donner du travail de façon régulière, j'ai apprécié le fait de l'exécuter sans être constamment interrompue. Découvrir les aspects positifs de cette nouvelle réalité m'a aidée à me sortir peu à peu de la noirceur de ces événements. Mais le stress que j'y avais vécu m'avait affaiblie.

Au cours de la même période, la maladie de mon frère a commencé à prendre de plus en plus de place. Comme les autres membres de la famille, je l'ai suivi sur la route cahoteuse où l'entraînait son cœur malade. Puis, un matin très tôt, il m'a appelée pour m'inviter à déjeuner avec lui. J'entends encore sa voix insistante... Mais je devais subir des examens médicaux prescrits depuis des semaines. « J'irai souper avec toi », lui ai-je promis. Il était déjà trop tard. Sa mort, le lendemain matin, m'a plongée dans un sentiment intense de peine et de culpabilité. Je me suis reproché d'avoir donné la priorité à mes examens plutôt qu'à cette rencontre avec lui, au moment où il en avait besoin. Il voulait me confier des choses importantes, disait-il, lui qui vivait sa dernière journée. J'entendais l'urgence dans sa voix. Oui, j'entendais, mais je n'écoutais pas vraiment. Me découvrir à ce point inhumaine m'a causé une souffrance quasi insupportable. Cette culpabilité m'a torturée assez longtemps pour me nuire. Je le vois maintenant.

Mais ce n'est pas tout. Nous avions demandé à son épouse de nous informer du jour où il serait incinéré. Nous souhaitions, mes sœurs, mon frère et moi, nous réunir une dernière fois autour de sa dépouille. Mais elle a ignoré notre demande et nous avons donc appris son incinération après coup. Stupeur. Colère. Amertume. Ces émotions puissantes sont venues gonfler mon chagrin.

La lumière froide qui éclaire le film de ces événements fait ressortir ma façon de vivre les pertes. Je vois bien que je n'ai pas encore appris à desserrer la main. Il m'est encore bien difficile de me départir de ce que j'aime ou de ce qui m'est devenu familier. C'est fou, mais je trouve même difficile de laisser aller les vêtements démodés, troués ou devenus inutiles.

Se pourrait-il que je conserve mes vieilles souffrances comme je m'accroche encore à mes vieux vêtements?

Comment me cacher de l'évidence que Cancer 2 est là parce que Cancer 1 n'a rien réglé du tout? Cette prise de conscience déclenche en moi un malaise sourd. Je voudrais fuir cette lumière trop vive sur des pans de ma vie que j'avais réussi à garder endormis depuis longtemps. Me serais-je bercée dans l'illusion de l'oubli? Le corps n'oublie rien de ce qui a été vécu. Serait-il en train de m'en faire la magistrale démonstration?

Le cancer est-il le résultat des blessures du passé, comme le disent certains spécialistes? Je ne peux tout de même pas effacer les événements que j'ai vécus! Quelque chose m'échappe sûrement, mais quoi? Comment savoir? Ce qui est clair, toutefois, c'est que Cancer 2 se présente comme une lutte à finir entre nous. Qui gagnera cette lutte? Pour le moment, je suis trop secouée pour tolérer ce genre de questions. Néanmoins, elles mettent en lumière des fissures dans ma conscience et s'y infiltrent rapidement. Je les chasse, en me disant que je n'ai que faire de ce genre d'introspection, que cela ne pourrait que m'alarmer davantage et me déprimer. Je les balaie du revers de la main, comme une nuée de mouches noires.

Je me retrouve donc à la case départ. Avec le spectre des métastases et un sein en moins. Je reste là, tremblante de peur, coincée entre mes murs intérieurs, sans possibilité de me soustraire à la réalité. Je ne peux échapper au sentiment torturant d'avoir échoué dans le programme de prévention que je m'étais bâti au cours des dernières années. Cette culpabilité est dévastatrice. Qu'est-ce qui a bien pu m'échapper? Où me suis-je trompée? Ces questions tournent en rond dans ma tête, à la manière d'une ritournelle agaçante. Je finis par la répéter à mes enfants. Fermement, ils me disent : «Tu ne serais plus avec nous si tu n'avais pas fait tout ce que tu as fait.» Et pour la centième fois, je me dis qu'ils ont raison et que j'ai bien de la chance de les avoir pour me remettre à l'endroit. Malgré tout, la culpabilité persiste. Une diplômée en médecine naturelle, quand même! J'en ai honte, comme si la maladie m'avait prise en défaut.

Perdre la face ainsi...

Je dois cesser de me juger si sévèrement. La maladie n'épargne personne, pas même le personnel du monde de la santé. Tout ce que j'ai fait pour ma santé depuis dix ans, je l'ai fait de façon réfléchie et constante. Cela ne peut l'avoir été en vain. Je ne peux le croire. *Pourquoi alors un autre cancer?* Oui, pourquoi, pourquoi? Ce pourquoi m'obsède. Il colle à mes pensées comme de la glu. Mon esprit ne sait plus où creuser pour trouver une explication plausible. Y a-t-il une réponse? Où donc est-elle?

Ces questions sont vaines et elles me fatiguent. Un jour, les réponses viendront d'elles-mêmes, mais ce n'est pas pour aujourd'hui. Je dois plutôt me détendre et m'imaginer que les questions tournoyant dans mon esprit s'envolent lentement, comme une fumée qui disparaît au loin. Me remplir d'énergie, la sentir pétiller dans tout mon corps, voilà qui est mieux que de chercher des réponses qui n'existent pas pour le moment. Rebondir, même si j'ai l'impression d'être collée au sol! Oui, ma force se réveille en même temps que mon énergie se remet à circuler dans mon corps. Cette sensation me fait énormément de bien et me rassure. Je l'interprète comme un signe que tout ira pour le mieux.

3

24 février – Évidemment, ma famille est renversée; mes amies, estomaquées. Je ne sais pas trop quoi leur dire. Les événements d'hier m'ont drainée. C'est probablement pourquoi je suis si fatiguée. Pas trop, cependant, pour ne pas réagir et laisser la colère vibrer en moi. « Ah, tu ne me connais pas encore, Cancer! Tu n'as pas remarqué que je ne suis pas du genre à rester au sol? Peu importe le coup, je réussis toujours à me relever. C'est ma marque distinctive. Non, tu ne m'auras pas, m'entends-tu? Je te le dis et me le redis, encore et encore. Jamais! »

25 février – Je me sens moins sonnée aujourd'hui, plus en possession de moi-même et de mes moyens. Le ressort de la colère m'a fait grand bien. Ma force s'amplifie et fouette mon énergie. Je suis fière de rebondir si vite, si bien, si fort. C'est un avantage certain. Je me félicite aussi de ma capacité à transformer la colère en force positive. Je suis maintenant prête au combat. Ce sera une lutte sans merci. Cet ennemi vorace qui m'assiège n'aura aucune chance. Ce n'est pas parce qu'il a effrontément érigé son quartier-général dans ma résidence, et à mon insu, qu'il a tous les droits. Il va bientôt découvrir que sa présence indésirable tire à sa fin. Je jure que je ferai tout ce qui est en mon pouvoir pour déloger cet intrus dévorant. Je gagnerai! Le doute n'existe pas. À l'attaque!

Je commence par réviser mon ancien programme anti-cancer, étape par étape. Je le trouve juste sur tous les plans : physique, mental et spirituel. Je le suivrai point par point, comme si je l'entreprenais pour la première fois. J'ajouterai des éléments, au fur et à mesure de ma recherche et de mon cheminement. Désormais, je ne laisserai plus rien grignoter ma confiance et je ne permettrai plus à mon « mental » de répandre dans mon esprit les pensées insidieuses qui sapent mes énergies. Je répète mon chant de guerre pour m'encourager et le fixer dans ma conscience : « Non, tu ne m'auras pas! Non! Non! » Et j'en rajoute : « Tu ne sais pas ce qui t'attend, Cancer. Tu ne t'es pas attaqué à la bonne personne. Ah, ah, ta fin est proche! »

Et vous, mes anges, vous, mes guides et amis célestes, qu'attendez-vous pour m'épauler?

Je sais qu'il y a une multitude de causes au cancer. Elles sont peut-être aussi nombreuses qu'il y a de personnes atteintes. Qui donc peut connaître la cause exacte du cancer dont il souffre? De même, qui peut avancer que tel traitement est « le » traitement? Les traitements chimiques semblent souvent inefficaces. Ils réussissent à prolonger la vie, mais ne garantissent jamais qu'il n'y aura pas de récidive. On entend parler de toutes sortes de thérapies expérimentales et alternatives, mais il faut des années pour que les recherches aboutissent à des résultats concluants et que les traitements soient accessibles à des prix abordables. La médecine naturelle est une aide précieuse, mais bien malin qui pourrait proclamer que tel produit ou telle thérapie alternative garantira une prévention durable, à toute épreuve. Je crois que la médecine, aussi bien officielle que naturelle, ne peut qu'aider le docteur que je porte en moi. C'est ce docteur intérieur qui me connaît le mieux. Il connaît les causes réelles de mes maladies. Il est mon allié le plus sûr. Les autres médecins et spécialistes ne peuvent que l'assister dans le processus de mon rétablissement.

Eh bien, puisqu'il y a un docteur en moi, je m'adresse à sa puissance curative. Je lui confie la direction des opérations, dès maintenant, sans pour autant écarter les médecines officielle et naturelle. Que sa sagesse éclaire mon esprit et m'aide à choisir les voies de guérison propres à mon rétablissement complet, seules les voies qui me conviennent, celles faites sur mesure pour moi. Ce docteur intérieur parlera par mon intuition. Il me guidera vers les personnes aptes à m'aider et m'épaulera dans mon parcours. J'en suis sûre! Je déclare en moi-même et à l'Univers que je ferai de ce cancer l'occasion d'expulser hors de mes tissus tous les poisons et leurs résidus, physiques et psychologiques, qui m'ont infectée au cours de ma vie. J'accepte ce ménage en profondeur, même si j'ignore en quoi il consistera.

27 février – Médecins et spécialistes maintiennent qu'il faut agir sans tarder, étant donné la nature si menaçante de ce cancer. Selon eux, une mastectomie radicale s'impose. Leurs explications claires démontrent que je n'ai pas le choix. J'ai l'impression d'être coincée dans un étau qui se resserre, mais il semble que je ne peux échapper à cette chirurgie et tenter de me guérir par d'autres moyens. L'image de cette masse meurtrière envahissant ma chair, s'acharnant au même endroit, me convainc qu'il faut tout enlever. Non seulement extirper l'ennemi, mais éliminer tout le territoire envahi. Cependant, lorsque les médecins parlent de traitements chimiques et autres, je sais de façon tout aussi claire que je prendrai d'autres voies, celles qui me seront suggérées par mon docteur intérieur. J'écouterai toutes ses directives et suivrai ses prescriptions, sans aucune hésitation et en toute confiance. Non seulement je sais, mais je sens qu'il y a une présence en moi. Une présence qui travaille avec moi et pour moi. Cela m'apaise. De même, il m'apparaît de plus en plus évident que médecines officielle et naturelle peuvent et doivent travailler toutes les deux à ma guérison.

28 février – Rencontre prévue depuis plus d'un mois avec une thérapeute en médecine douce, pour un traitement que je reçois mensuellement ou au besoin pour mon dos. Elle n'en revient pas de ce que je lui annonce. Elle m'apprend que les seins sont des portes d'entrée et de sortie de l'énergie. Elle va procéder à un traitement qu'elle dit « spécial ». Après quelques manipulations pour dénouer les nœuds dans mes muscles, elle travaille à retirer « l'énergie bloquée au sein », dit-elle. Bien qu'elle ne me touche pas du tout, je sens tout à coup des morceaux de chair s'arracher. Elle tire et tire comme si elle déracinait quelque chose de coincé profondément à l'intérieur de mes tissus. Du moins, c'est ce que je ressens. Mon corps se met à sangloter, comme si la thérapeute avait en même temps ouvert une porte derrière laquelle était endigué un flot de larmes.

Je ne comprends pas très bien ce qui vient de se passer. La pensée qu'elle vient d'enlever des morceaux de la tumeur m'effleure l'esprit, l'espace d'un moment. Toutefois, le malaise cuisant dans mes chairs m'empêche de m'y attarder. Prise de compassion pour ce corps souffrant, je ne peux que le laisser sangloter jusqu'à l'apaisement.

Ce soir, pour la première fois, je pense au sein qu'on va m'enlever. Je sais que cette amputation est inévitable, mais elle m'angoisse. De quoi aurai-je l'air? Et s'il y avait des métastases... Ces pensées s'agrippent à mon esprit, comme le lierre à l'arbre. J'ai du mal à m'en débarrasser. J'essaie de me détendre en écoutant ma respiration pour étouffer l'angoisse.

Calme et sérénité font la force de mon âme.

C'est mon chant de paix, celui qui accompagne le mieux ma respiration. Je me le chante mentalement un long moment pour m'imprégner de ses vibrations. Je prie pour qu'au matin je m'éveille paisible et confiante.

29 février – Je passe la journée à me préparer à l'opération de demain, en espérant très fort qu'il n'y ait pas de métastases. Je prends un bain aux huiles essentielles calmantes; ensuite, je me confectionne une formule d'essences de fleurs créée par le docteur Edward Bach pour calmer les états d'âme.

Et maintenant
je me repose dans la sécurité et dans la paix.
Que la toute-puissance de l'amour infini
circule dans mes veines,
restaurant l'harmonie, la santé, la confiance.
Je m'enveloppe dans le manteau chaud de l'Univers
et je m'endors en toute tranquillité,
remplie de compassion pour tout ce qui vit.

Que la paix descende dans mon esprit.
Qu'elle baigne mes cellules de son essence,
qu'elle en remplisse mon être tout entier.
Au matin, je me réveillerai vibrante de gratitude
pour la vie qu'il m'est donné de vivre.
Bonne nuit, Réjane.

4

1er mars – Me voilà dans la salle d'opération, sur la table froide. On me souhaite la bienvenue dans l'équipe. Cela me fait chaud au cœur d'être accueillie ainsi, même si j'ai froid dans le dos. Pendant que le personnel s'affaire autour de moi, une jeune infirmière me tient la main alors qu'on injecte le liquide anesthésiant : « Avant de vous endormir, pensez que la santé est bien plus importante qu'un sein. » Puis, le néant.

Une douleur cuisante au flanc et sous le bras m'annonce que tout est fini. Le calme des infirmières me rassure, même si j'ai du mal à respirer. Dans la chambre où les infirmiers m'ont laissée, je retrouve mes enfants et mes sœurs. Leur présence est un baume.

4 mars – Dès que le rapport du pathologiste aura été remis aux médecins, je saurai quels traitements ils proposent. Ils parlent encore de chimiothérapie et de radiothérapie. L'arsenal lourd, quoi. Mais j'ai le cerveau trop embrumé pour expliquer que j'ai autre chose en vue. La médecine a fait ce qu'elle avait à faire. La suite m'appartient. Je leur en ferai part au moment opportun.

5 mars – Retour à la maison. Avant mon départ de l'hôpital, une infirmière m'a remis un feuillet explicatif sur les prothèses mammaires. Une autre m'a informée du suivi offert par cet hôpital : « Je peux donner votre nom pour un rendez-vous, si vous le voulez. » Bien sûr que je veux! J'ai décidé d'accepter tout ce qui pourra m'aider.

Si seulement j'avais eu cette chance la première fois…

8 mars – Première rencontre avec la thérapeute de l'hôpital. – Je me suis sentie comprise tout de suite. Peut-être parce qu'elle aussi a été atteinte d'un cancer du sein, sans le perdre toutefois. Après m'avoir écoutée un bon moment, elle me demande si je ravale tout le temps mes peines... À ses yeux, j'aurais la personnalité-type de la personne atteinte de cancer, celle qui pense aux autres avant tout. Hum... Ça promet!

Aurait-elle raison? À la réflexion, je me rends compte que tout ce que j'ai fait pour être bien et maintenir ma santé, je l'ai fait pour mes enfants. Je voulais être bien pour eux avant tout. N'est-ce pas ce que j'ai fait toute ma vie? Un mouvement naturel : les autres d'abord, moi après. Je ne sais plus quoi penser, je suis bouleversée. Je ne peux quand même pas regretter d'avoir donné la priorité à mes enfants!

La psychologue m'a aussi demandé : « Savez-vous pourquoi vous avez eu le cancer? » Je n'ai pas osé lui dire que je continue à me creuser la cervelle pour trouver un coupable. Ce serait si simple si je pouvais attribuer la faute aux autres, à la pollution et à quoi encore... Je pressens que la réponse est à l'intérieur de moi, mais ce n'est pas tout à fait clair. J'en reste un brin embarrassée.

Voyons ce que je sais pour le moment des causes du premier cancer : un deuil difficile, l'obligation d'élever seule de jeunes enfants, la nécessité de retourner sur le marché du travail après une longue absence. Stress, encore stress. Résultat? Cancer 1.

Cancer 2 maintenant. Non détectable il y a à peine quelques mois, il a envahi mes cellules avec une rapidité et une agressivité terrifiantes, contrairement à Cancer 1 qui a été lent à apparaître. Tout comme le premier, le second cancer a été précédé de pertes importantes que je raconte à la thérapeute. Ce sont les causes qui m'ont tout de suite sauté aux yeux quand j'ai appris le diagnostic. Mais il y a autre chose, quelque chose qui ne cesse de se dresser dans mon esprit et qui m'agace à la fin. Comme j'ai décidé de ne plus rien écarter du revers de la main, je révèle à la thérapeute la demande faite maintes fois, dès la fin de ma formation en médecine naturelle, de travailler auprès des personnes atteintes de cancer. « Ma spécialité et mon domaine », comme je me plaisais à le dire. C'était et cela demeure mon désir le plus ardent. Aurais-je été à ce point prise au sérieux? Aurait-on décidé de me montrer ce qu'il en coûte de guérir, avant que je l'enseigne aux autres? Je divague peut-être. Sauf que...

10 mars – Enfin, le rapport du pathologiste : pas de cellules cancéreuses dans les ganglions sous l'aisselle! Je le redoutais tant. Quel soulagement! Merci, ô merci, mes anges! Le docteur me répète que mon cas est rare. Une rareté qui me laisse froide, je l'avoue en toute honnêteté. Il ajoute qu'il veut consulter des confrères sur les traitements à suivre « s'il y a lieu ». Tiens, tiens, on dirait une petite hésitation... Avant la chirurgie, il semblait n'y avoir aucun doute sur la nécessité d'utiliser l'arsenal thérapeutique au grand complet!

Il enlève le pansement et je vois... Ô mon Dieu, quelle horreur! Je dois détourner les yeux. Un tel creux! Cette entaille vive et les points de suture encore frais semblables à une voie ferrée zigzagant sur ma poitrine difforme. Je ne me sens pas bien du tout.

15 mars – Certains jours ça va. D'autres, ça ne va pas du tout. Aujourd'hui, ça ne va pas. Je suis fatiguée et je souffre à cause des élancements et des spasmes qui tiraillent les muscles atrophiés de ma poitrine. Ces douleurs me plient en deux. Elles m'empêchent parfois de trouver une position confortable. Je ne peux pas me tenir droite, ce qui augmente mes maux de dos. Je me sens totalement déséquilibrée. Quand je fais ma toilette, je détourne les yeux et je ne peux plus me regarder quand je m'habille. Cette déchirure me donne le vertige, même si je sais qu'un jour je porterai une prothèse pour cacher ce que j'ai perdu. C'est affreux.

19 mars – J'ai des papillons plein l'estomac, aujourd'hui. Je dois rencontrer l'oncologue et je redoute ce qu'il va m'annoncer. Comment savoir quels traitements seront bons pour moi puisque j'oscille entre le doute et ma décision. Impossible d'avoir les idées claires depuis la chirurgie. J'ai même l'impression d'avoir perdu tout pouvoir sur mes pensées. Elles se précipitent à ma conscience toutes en même temps, pêle-mêle, surtout quand je cède à la peur. Je ne parviens pas à remettre de l'ordre dans ce fouillis. Je ne suis pas dans mon assiette, c'est le moins que je puisse dire! Rencontrer l'oncologue dans cet état m'énerve!

Après avoir scruté mon dossier dans un lourd silence, le spécialiste lève les yeux et me regarde longuement. Puis, il me déclare chanceuse : « C'est comme si vous aviez gagné à la loterie! Rien de moins que le gros lot pour vous! Croyez-moi, on ne voit pas ça souvent », ajoute-t-il, en me fixant d'un air ébahi. Il m'annonce que je n'ai besoin d'aucun traitement. « Aucun, répète-t-il. Je vous recommande une excellente qualité de vie, tout de même, un absolu pour vous », laisse-t-il tomber, en refermant le dossier avant de quitter la pièce.

Aucun traitement! Après tout ce que je redoutais! J'ai du mal à entendre une si bonne nouvelle, tellement je m'attendais au pire. Et il me laisse aller comme ça! Je reste bouche bée, totalement désorientée. Voilà qu'on me regarde comme si je venais d'une autre planète, en me recommandant une qualité de vie exceptionnelle... sans un traître mot sur ce que peut être cette qualité de vie! Aucune explication! Le médecin a quitté le bureau avant même que je puisse poser une seule question! Croit-il que j'ai la science infuse? Comment suis-je supposée m'y prendre pour trouver cette qualité de vie dont ma survie semble dépendre? Je suis livrée à moi-même, alors que j'ai le doute si facile depuis le diagnostic. Que faire de plus que ce que j'ai déjà fait pour me protéger et m'assurer que le cancer ne revienne pas? Aucune information là-dessus, aucune référence, rien du tout. Décevant, très décevant. J'en suis toute ébranlée.

De retour à la maison, j'essaie de comprendre le malaise que je ressens, malaise qui prend rapidement le dessus sur la bonne nouvelle. Pourtant, j'avais déjà décidé de refuser les traitements chimiques. Pourquoi cette réaction, alors? Je ne me comprends plus.

Décidément, ce deuxième cancer m'a enlevé beaucoup plus qu'un sein. Je vois bien que j'ai perdu toute confiance en moi. Comment pourrais-je encore croire en mes moyens et en mes connaissances après un deuxième cancer? J'avais réussi à me donner une bonne qualité de vie, enfin c'est ce que je croyais, et je me félicitais de l'entretenir comme un bien précieux. Mais les réponses que je pensais avoir trouvées se sont toutes évaporées avec l'apparition de ce deuxième cancer. Je voudrais bien les remplacer, mais j'ai l'impression de ne plus rien savoir; c'est vide dans ma tête. Comment pourrais-je de nouveau me faire confiance? Sur qui vais-je pouvoir compter maintenant, puisque je ne peux plus me fier à moi-même ni à la médecine? Je touche la source de mon malaise, pourtant je reste en pleine confusion. Je m'en veux surtout, ne devrais-je pas me sentir euphorique, sauter de joie? Après tout, j'ai gagné le gros lot!

Dès que j'annonce la bonne nouvelle, tout le monde pousse un soupir de soulagement, accompagné toutefois d'un regard songeur. On s'attendait sans doute au pire, comme moi.

30 mars – Je reviens donc aux méthodes naturelles de traitement, la réponse se trouve là, sûrement. Je reprends mes livres et mes feuilles de notes, j'y passe des heures, mais ce travail m'épuise. Je dois sans cesse recommencer mes lectures : il m'est impossible de fixer mon attention malgré mes efforts, et cela me décourage. D'épais bancs de brume recouvrent mon cerveau et il me semble que je n'ai plus aucun contrôle sur mon « mental ». Je ne peux tout simplement plus fonctionner. Comment en suis-je arrivée là? J'étais pourtant bien avant l'opération. Je ne me sentais pas malade, tandis que maintenant je ne vais pas bien du tout. J'en suis toute déprimée.

3 avril – J'ai décidé de ne plus me forcer à lire ou à étudier, puisque je ne retiens rien et que cela me démoralise. J'ai surtout besoin de récupérer pour redevenir normale le plus vite possible. J'ai tellement hâte!

10 avril – Je suis complètement à l'envers. Je papillonne constamment d'une chose à une autre, avec le résultat que je réussis à mettre la maison sans dessus dessous, en un temps record. C'est plus fort que moi, je ne parviens plus à me concentrer sur une seule tâche à la fois. Impossible de m'arrêter tout court; il me faut sans cesse être en mouvement. Je suis dans un état de fébrilité énervant. J'oublie où je dépose les objets et je tourne en rond, sans cesse à la recherche de quelque chose. Je fonds en larmes si je ne retrouve plus ma tasse de tisane ou si j'ai oublié ce que j'étais en train de faire. J'en suis bouleversée au point que je dérape souvent dans la panique. La cuisine est à l'envers. La maison est à l'envers. Je suis à l'envers. Pourtant docteur et psychologue pensent que tout est normal. Ils me répètent que ma convalescence se déroule bien : « Vous avez subi un choc, me rappellent-ils. N'oubliez pas que c'est un gros bobo que vous avez. Prenez le temps de vous remettre. » Il n'y a que moi pour penser que je devrais être totalement remise, débordante de bonheur et, surtout,

que je devrais déjà être de retour au travail! Or, me voici de plus en plus découragée et je ne sais même pas pourquoi. Il y a au fond de moi un inconfort flou mais persistant, j'en suis de plus en plus consciente. Et toujours, ces mille et une questions qui me trottent dans la tête. Je cherche des réponses sans relâche, comme si ma vie en dépendait. Pourquoi cette obsession de tout comprendre? C'est fatiguant à la fin!

Réfléchis, disait souvent maman, quand j'étais petite...

Je devrais être aux anges de m'en tirer à si bon compte. Le problème, c'est que je ne sais pas ou plutôt que je ne sais plus quoi faire pour qu'« il » ne revienne pas. Je ne trouve aucune réponse à cette question qui me hante et gruge mes forces. Se pourrait-il qu'il n'y ait tout simplement rien à réfléchir ni rien à faire, sinon me détendre et me reposer? Le fameux « lâcher prise » ? Comment le pourrais-je, puisque pour moi cette attitude équivaut à abandonner et à subir? Je n'ai pas peur que tout s'écroule, c'est déjà fait. Je ne sais pas comment lâcher prise. Est-il possible d'espérer des résultats positifs quand on laisse tout aller?

Serais-je trop impatiente, trop dure envers moi-même...

23 avril – La psychologue m'annonce que ma tâche principale est de ne rien faire. Elle insiste : « Ne rien faire! » Mais je ne suis pas à l'aise à ne rien faire. Tout tourne si vite dans ma tête. Alors, je me lance à la recherche d'une activité quelconque pour me calmer et je me retrouve rapidement dans un total désordre intérieur et extérieur. « Faites seulement ce qui vous fait plaisir », insiste-t-elle. Ce n'est pas si simple. Qu'est-ce qui pourrait me faire vraiment plaisir et non pas seulement me distraire de la déprime? « Restez avec vous-même », dit-elle encore. Facile à dire...

24 avril – Ça ne va vraiment pas aujourd'hui. Et je ne cesse d'entendre les paroles de la psychologue : « Vous avez beaucoup de deuils à régler. Écrivez quand vous vous sentez mal, tout ce qui vous vient à l'esprit, sans juger. Surtout restez avec vous-même, vous n'avez plus le choix. » J'ai l'impression d'être acculée au pied du mur. À tout moment, je dois me secouer pour écarter l'image de ma poitrine qui se fige dans mon imagination. Je fais tout pour chasser les pensées affolantes qui

se bousculent dans ma tête et balayer l'amertume qui s'installe malgré moi. Dès que j'enlève mes vêtements, que je veux prendre une douche ou que je me couche avec cette grande fissure au flanc, tout me revient. Je voudrais pleurer, mais comment m'apitoyer sur ce qui me sauve la vie? J'essaie de camoufler et d'oublier que c'est là ou, plutôt, que ce n'est plus là. Je voudrais endormir cette brûlure dans mon corps, anesthésier les élancements qui persistent. Je voudrais surtout faire disparaître la honte et la culpabilité qui m'habitent.

Le travail me distrairait, mais je suis seule à la maison avec Copain, qui ne me quitte pas un seul instant. Il me suit de si près que j'ai l'impression qu'il veut faire partie de moi, comme s'il sentait que j'ai besoin de quelque chose ou de quelqu'un. Quand je m'installe dans le gros fauteuil rose, il vient s'asseoir sur mes pieds et il me regarde dans les yeux tant que je ne lui donne pas ma main à lécher. Je lui dis, je lui répète qu'il est un bon chien et que je suis bien contente qu'il soit là.

Malgré mes efforts pour chasser mes sombres pensées, plus souvent qu'autrement, je suis dans un état de panique, éparpillée comme si j'étais fragmentée. Je ne sais pas comment vivre tant de choses à la fois et je n'arrive pas à vaincre cet état d'inconfort grandissant. « Restez avec vous-même », disait la psychologue, mais j'ai peur de ne pas réussir à me sortir de cet état. Je me sens si fatiguée. Je ne me le cache plus, j'ai envie de tout laisser tomber…

Ça va aller… Détente, confiance, repos, patience… Respire un bon coup…

Copain semble flairer mon désarroi. Où que je sois, il y est aussi. Au point que je lui marche parfois dessus en me retournant, parce que j'oublie qu'il colle constamment à mes talons. Il cherche sans cesse mon regard. Je devine que ce n'est pas pour quêter une caresse, mais pour m'en donner une. Dès que je le regarde, il émet toutes sortes de sons pour me rassurer et me montrer qu'il m'aime. Il est si généreux. Je vois bien qu'il m'aime plus que tout au monde et cette affection me réconforte. Je me demande ce que je ferais sans lui, toute seule à la maison et si bouleversée. Je le laisse se coller à moi et lécher ma main, tandis que des larmes que je n'arrive plus à retenir coulent sur mon visage.

Quand les enfants, la famille ou les amies appellent, je dis que je vais bien ou quelque chose du genre. Je suis incapable de dire mon état véritable. Je n'ai plus de mots. Rien que des émotions et de la confusion. Pénible.

5

25 avril – Aujourd'hui, je me suis levée avec le même tourment : que dois-je donc faire pour éviter un troisième cancer? Cette question continue de me hanter malgré mes efforts pour l'écarter. Si je me réveille en pleine nuit, elle est là, comme un poids lourd qui m'écrase. Elle m'assaille dès mon premier battement de paupières, le matin. Quelles que soient mes occupations de la journée, elle ne me quitte pas. J'ai beau essayer de me distraire, elle colle à mon esprit comme une sangsue. Elle me donne des sueurs froides dans le dos, j'ai l'impression d'être traquée. Et je dois trouver une réponse! Comment guérir si je ne réussis pas à identifier correctement et à extirper les causes réelles de Cancer 1 et de Cancer 2? Le cancer n'est-il pas comme de la mauvaise herbe qui revient sans cesse à moins d'être complètement déracinée? Ce n'est qu'une question de temps…

Je crois déjà en connaître les déclencheurs. Mais comment être sûre des causes? Je ne peux pas me contenter des spéculations ou des hypothèses avancées par les chercheurs. C'est de moi qu'il s'agit et non de cas répertoriés dans les livres pour illustrer telle ou telle théorie. Ceux qui en parlent avec tant d'aplomb ont-ils déjà été atteints par le cancer? Ils semblent incapables d'en déterminer la ou les causes exactes. Ils connaissent plusieurs facteurs cancérigènes : la cigarette, le stress de la vie moderne, les innombrables produits de conservation, la pollution atmosphérique et quoi encore? Ils recherchent aussi un ou des gènes coupables. La médecine naturelle, elle, parle d'hygiène de vie, d'alimentation, de pollution mentale et émotionnelle, etc.

Je voudrais trouver exactement ce que je dois bannir de ma vie, modifier ou transformer. Oublier tout ce que j'ai déjà fait et repartir à zéro. Mais par où commencer? Je m'affole à essayer de tout démêler par moi-même, alors que la science n'y arrive même pas. Et le brouillard persiste dans mon cerveau, c'est trop. La chirurgie a enlevé la masse cancéreuse, mais non la cause. Personne ne peut me garantir que l'ennemi n'est pas déjà en train de prendre racine ailleurs dans mon corps. Je voudrais ne pas penser au pire, mais quand on a déjà eu deux cancers...

Impossible de trouver le repos, je suis paniquée, seule avec moi-même dans le tumulte des questions qui envahissent mon cerveau. Et cela ne m'aide pas de savoir que je suis la seule personne à pouvoir trouver les réponses qui me concernent. Je suis parfois tentée de me laisser aller à la dérive et de fermer la porte à ces tourments. Mais quelque chose au fond de moi, je ne sais quoi, m'empêche de capituler.

Une réalité s'impose toutefois malgré ma confusion : il n'y aurait pas eu de cancer si mon système immunitaire n'était pas d'abord tombé en panne. Qu'est-ce qui a pu provoquer cet effondrement deux fois? Si je m'acharne tant à trouver une réponse, c'est que je sais qu'elle est la clé de ma véritable délivrance du cancer.

Dans l'espoir de trouver une piste, je repasse mentalement tout ce que j'ai fait pour améliorer la qualité de ma vie après Cancer 1. Je me suis d'abord inscrite à un cours sur le mieux-être. Après, je me suis occupée de ma nutrition et j'ai fait un virage alimentaire par étapes. Ensuite, j'ai reçu une formation en relaxation, en visualisation et en pensée créatrice. J'ai suivi des ateliers en analyse transactionnelle et en bio-énergie, d'autres ateliers sur le deuil, sur les soins palliatifs de même que sur les énergies subtiles. Puis, je suis devenue une professionnelle du *rebirthing* et, finalement, de médecine naturelle. Tout cela, et j'en passe, pour trouver une meilleure façon d'être et de vivre.

Depuis, je ne mange que des légumes verts et des fruits frais. Aucune charcuterie ni viande rouge, bien entendu; du poisson, de la volaille maigre et des céréales complètes. J'essaie de m'habituer aux protéines végétales, aux graines et aux germinations. Aucun aliment en conserve ni transformé, cela va de soi. Rien de tout ce qui est blanc : sucre, farine, pâte; évidemment, ni ketchup, ni relish, ni moutarde, sauf à l'occasion. Pas de margarine, mais un tout petit peu de beurre et des huiles extra vierges pour les salades et la cuisson. Je bois des jus verts assez régulièrement, jamais d'eau du robinet. J'ai banni le sucre, sauf les jours de fêtes ou de sorties où je m'offre un petit plaisir. J'ai remplacé le sel de table par du sel de mer aux herbes. Je prends les meilleurs antioxydants et je recherche les super aliments. Je me prépare des extraits d'herbes et des tisanes anti-cancer. Je fais des cures de désintoxication chaque printemps et automne. Je triche parfois : un bon repas au restaurant, ça fait du bien! Je ne fume pas, je ne me drogue pas, je ne bois pas non plus, sauf un verre de vin rouge au souper, de temps en temps.

J'aime rire et je m'offre des sorties agréables avec les amies ou la famille. Je ne m'entraîne pas dans un centre de conditionnement physique mais je marche régulièrement. J'essaie de transformer ma façon de penser pour ne pas me laisser prendre au piège du pessimisme. Je n'ai pas que des pensées positives, mais je travaille à devenir de plus en plus consciente de ce qui se passe dans mon esprit, afin de modifier les pensées qui pourraient me faire du tort. Je sais bien que les idées et les émotions négatives produisent des toxines. J'ai essayé de me nettoyer de ma propre pollution, de me protéger de celle des autres, de celle qui tombe du ciel, de celle que j'absorbe à mon insu. Je me suis tenue à l'affût des dernières recherches sur le cancer. J'ai étudié pour approfondir mes connaissances sur les causes réelles de la maladie et pour devenir encore plus consciente de mes pensées, de mes paroles, de mes attitudes intérieures, de mes comportements. Voilà ce que j'ai fait depuis Cancer 1, toujours dans l'espoir d'améliorer la qualité de ma vie. Résultat? Cancer 2! Effarant!

Qu'y a-t-il d'autre à faire puisque toutes mes entreprises ont échoué? Vers quoi dois-je me tourner, dans quelle direction orienter ma recherche? Où vais-je trouver l'espoir? Je ne vois plus qu'un seul endroit où chercher : à l'intérieur! Évidemment. Comme si c'était ma faute... Une nouvelle question commence à planer dans mon esprit : le cancer serait-il une maladie psychique plutôt que physique? J'ai la sensation d'être prise dans un filet et j'en ai marre! Vraiment marre!

Je ne crois pas que le cancer saute sur des gens, comme ça, à l'aveuglette, je ne crois pas au hasard. Mais qu'est-ce qui protège les « bouffeux » de fumée, de restauration rapide, de négatif, d'alcool et de drogues? J'enrage!

26 avril – Il devient de plus en plus clair que quelque chose m'échappe. J'ai voulu savoir ce que la médecine conventionnelle recommandait de plus pour la prévention. Au téléphone, le docteur m'a répondu :

« S'il y avait une pilule préventive, je vous la prescrirais avec empressement. Malheureusement, il n'y en a pas, croyez-moi.

— N'y a-t-il rien à faire? ai-je insisté.

— Puisqu'il n'y a pas d'envahissement, comme on le craignait, nous allons suivre les événements.

— Que voulez-vous dire?

— Attendons les événements. »

C'est comme s'il m'avait dit : « Attendons un troisième cancer, on verra ce qu'il sera possible de faire à ce moment-là. » Je suis renversée. Que dire? Rien. La colère me colle au creux de l'estomac. Comment laisser vivre cette colère, puisque c'est du poison pour moi? Il me faut cracher ce venin, l'expulser avant qu'il ne m'envahisse. Vite, de l'oxygène! De la compréhension et de la protection, de toute urgence!

À l'aide, mes anges, à l'aide!

Je sors marcher dans le vent avec Copain, pour respirer profondément et évacuer ma colère. Non, je ne m'empoisonnerai de pensées négatives sous aucun prétexte! Ce serait comme m'injecter des doses d'acide. Il me faut du calme, de l'oxygène, du vent, du repos, de l'harmonie, des rires, de l'énergie positive, des remèdes naturels, de bonnes amitiés, de la belle musique et tout ce qui peut contribuer à la qualité de ma vie. « Indispensable », a dit le spécialiste, mais sans aucune garantie…

Ne plus me taper dessus…

Ah! Ah! Est-ce ce qui m'échappait? Ce n'est pas ma faute si le docteur est trop mal à l'aise pour reconnaître son ignorance et me renvoyer à moi-même : « Je vous fais confiance, je sais que vous êtes capable de vous aider mieux que quiconque. » Ces mots m'auraient fait du bien, ils m'auraient redonné confiance et réorientée sur ma route.

Il me faut corriger ma façon de réagir. Au lieu de rester bouche bée, à l'avenir, je me permettrai de dire : « Ce que vous me dites me laisse sans voix; donnez-moi le temps de prendre une grande respiration et je vous reviens. » Voilà, un pas vient d'être franchi. Quel bon coup de fouet! Cet intermède de révolte et de colère m'a fait du bien. Il m'a surtout aidée à reprendre mes esprits et à faire le ménage dans mes idées. Merci docteur!

Il y a plus de 2000 ans, Hippocrate affirmait que la maladie est le reflet d'un malaise tapi au fond de l'âme. Des chercheurs d'aujourd'hui l'ont confirmé : il faut d'abord guérir l'âme. Le cancer ne serait que le symptôme d'un malaise intérieur auquel on s'est si bien habitué, qu'on a fini par l'oublier et l'enfouir dans l'inconscient. Tout s'éclaire. Une évidence qui chasse les ombres! Mais quel travail à entreprendre...

Une cellule est une entité.
Dans mon corps, il y en a des trillions.
Quand je parle, c'est tout un peuple qui m'écoute
et qui exécute ce que je pense et ce que je crois.

Mes cellules ne me décevront jamais,
car elles ont foi en moi.
Elles deviennent traumatisées si, par erreur ou par inconscience,
j'entretiens des pensées ou des sentiments qui les affolent.
Elles n'aspirent qu'à l'harmonie,
elles veulent être traitées avec gentillesse et douceur.
Elles rêvent de se dilater dans le rire, l'émerveillement, la révérence.

Moi seule peux leur donner une nouvelle perspective
et transformer leur peur en confiance.
En me retirant au plus profond de ma conscience,
je peux, par ma pensée, par ma foi et par mon amour,
dorloter mes cellules, les préparer au rétablissement,
les amener à croire au bonheur et à s'en gorger.
C'est un travail immense, une œuvre de taille.
Je dois m'aimer assez pour l'entreprendre avec enthousiasme.

Écrire ces lignes m'a fait du bien, je respire mieux. Le grand vent du large a ouvert toutes les portes et fenêtres de ma demeure. Enfin, l'air circule librement et amplement! Déjà, mes pensées sont moins éparpillées, elles acquièrent de la substance. J'ai l'impression que mon âme a pris les choses en main. C'est bon de découvrir que je suis capable de rejoindre mon âme, malgré des périodes de confusion. Cette prise de conscience me redonne confiance et espoir. Le sentiment d'urgence qui m'assaillait presque sans relâche et qui m'obligeait à trouver un moyen de guérison se dissipe peu à peu. Je comprends que mon rétablissement ne doit pas être forcé, mais qu'il doit suivre le rythme naturel de mon être. Pareil au paysan qui, après avoir bien labouré la terre, passe et repasse la herse pour en extirper tout ce qui pourrait nuire à une récolte fertile. C'est un travail minutieux qui prend du temps. Lorsque le sol est bien ameubli, il est prêt pour l'ensemencement. Le semeur se doit d'utiliser les graines conformes à la récolte qu'il désire et qu'il se plaît à contempler d'avance, en regardant son champ.

6

27 avril – Le grand coup de vent d'hier m'a laissé le goût de faire du ménage. J'ai donc entrepris de débarrasser les placards et les fonds de tiroir. Faire du ménage me fait du bien et me donne le sentiment que le printemps est déjà là.

Passer la herse...

J'ai commencé par vider l'armoire de mon bureau. J'ai éliminé quelques bricoles, mais les vêtements que j'y remisais et que je ne porte plus depuis longtemps se sont retrouvés bien rangés dans une autre penderie. Je n'ai fait que déplacer les choses... Ce refus de jeter les vêtements qui ne me servent plus m'embarrasse.

Difficile de laisser aller les choses devenues inutiles...

J'ose me l'avouer, je garde ces vêtements pour me rappeler qu'il n'y a pas si longtemps j'habillais taille mannequin ou presque. Je passe ensuite au placard de ma chambre. À vrai dire, il n'y a rien là qui soit à mon goût ou si peu. Comment cela se fait-il? Eh bien, j'ai grossi et la mode d'aujourd'hui n'est pas faite pour les dames qui ont pris de l'âge et du poids. Me voici donc forcée d'acheter ce qui me va plus ou moins et ce n'est pas nécessairement ce qui me plaît.

Pas facile d'accepter que le temps ait changé mon corps.

Je constate que je m'agrippe encore à une image juvénile de moi-même, disparue depuis longtemps. À quoi bon me mentir en me jouant cette comédie? Je garde ces vêtements dans le fol espoir qu'un jour je réussirai à perdre le poids et les rides en trop. C'est pourquoi je les remets dans leur cachette, année après année. Quel enfantillage! Quelle affligeante illusion!

Se pourrait-il que mon âme soit ainsi encombrée... que je retienne encore et encore mes amours perdues?

Il n'est pas facile de herser, de faire le grand ménage. C'est exactement ce que je n'ai pas fait après Cancer 1! L'encombrement serait-il la cause de la maladie de mon âme? Un frisson de malaise parcourt lentement ma peau.

28 avril – Impossible d'organiser ma journée de façon cohérente. Je pars dans une direction et je bifurque dans une autre. Je ne fais rien de tout de ce que j'avais décidé. D'habitude si organisée et si efficace, je me retrouve ainsi en plein chaos plus souvent qu'autrement. Si je m'assois pour me détendre, je deviens vite agitée dans ma tête. Il y a tant à faire autour de moi! Je m'élance alors dans une autre tâche, n'importe laquelle, mais je ne fais que sauter d'une tâche à une autre, puis je laisse tout en plan. Même en lavant la vaisselle, je réussis à m'interrompre pour entreprendre autre chose. Ce papillonnage m'agace. Je ne suis même plus capable de lire une page et me souvenir de ce que j'ai lu. C'est désolant. Je n'étais pas comme ça avant. Je pouvais faire ce que je voulais, quand je le voulais et comme je le voulais. En toute franchise, je déteste ce que je suis en train de devenir.

Ne rien faire...

Peut-on réellement rester à ne rien faire, sans devenir blasée ou abrutie? Surtout qu'il y a tant à faire. Je me répète que je devrais profiter de ma convalescence pour accomplir ce qui traîne depuis longtemps. Ce serait une convalescence profitable. Je suis devenue négligente, j'ai remis toutes sortes de petits travaux d'entretien. Maintenant que j'ai le temps... Mais y penser suffit à m'essouffler. «Votre tâche principale est de ne rien faire. »

À l'exception de ce qui me fait plaisir. Bien entendu! J'ai dressé une liste, mais je n'y vois rien qui me fasse plaisir. Il n'y a même pas de place pour moi dans ce méli-mélo. Pour tout dire, je ne sais même pas ce qui pourrait me faire plaisir; je me sens trop mal intérieurement. Qu'est-ce que j'ai, qu'est-ce qui ne va pas? Bon, voilà les larmes maintenant! Qu'est-ce qui m'arrive?

Ou plutôt : qu'est-ce qui m'est arrivé?

Quand j'étais bien, je veux dire quand j'étais au travail, je voyais à tout. Enfin presque. Et ça marchait. Tant bien que mal, peut-être, mais bon… Maintenant, je n'arrive même plus à penser correctement. Je suis si fatiguée et je n'ai personne pour me masser les épaules le soir avant de me coucher. Je me rabats sur une cassette de relaxation. Je la joue et la rejoue et cela me fait du bien. Le calme finit par s'installer.

Aujourd'hui, rencontre avec la thérapeute de l'hôpital. Elle me rassure en me rappelant encore une fois ce que mon corps a subi : « C'est aussi un gros choc psychologique et il faut du temps pour s'en remettre », affirme-t-elle. Je veux bien mais, après deux mois, ne devrais-je pas être remise et de retour au travail? Je suis de plus en plus fatiguée. À ne rien faire.

Sans doute de vieilles fatigues accumulées qui remontent…

Avant Cancer 2, je ne pouvais pas ressentir cette fatigue, je n'avais pas le temps de m'arrêter. Je ne le prenais pas. Cancer 2 semble s'être manifesté justement pour me freiner. Pas facile de stopper une locomotive qui file à toute vapeur. Une fois les freins actionnés, elle perdra graduellement son air d'aller et finira bien par s'immobiliser. Je garde cette image en mémoire pour y revenir plus tard. Oui, j'ai roulé à fond de train pendant des années. J'aurais pu ralentir le rythme de temps en temps, pour jouir du paysage. Je n'y pensais même pas. Tout un frein, ce Cancer 2!

29 avril – J'ai besoin de retrouver le plaisir des rêveries pour me remplir d'images guérissantes; rêvasser pour déjouer la déprime et l'impatience…

Je rêve…
Je rêve que je marche au bord de la mer
dans le soleil et dans le vent,
grisée par le ronflement de la houle et le cri des goélands.
Au loin, la sirène des bateaux annonce leur arrivée prochaine.

Je rêve que je m'étends sur le sable chaud.
Les pores de ma peau grands ouverts hébergent le soleil.
Je rêve que je m'endors au chant rythmé de la vague
qui tout doucement vient lécher mes pieds.
Je rêve…

Je rêve que pendant mon sommeil
les docteurs célestes nettoient mon corps de toute pollution,
de tout les débris du passé qui traînent à la dérive
dans les replis de mon âme.
Je rêve que je m'éveille enfin dans la joie de vivre.
Je rêve...

30 avril – Une prière puisée dans un livre de chevet me revient à l'esprit ce matin : « Me voici, Seigneur, oui me voici. Utilise-moi de la façon que tu estimes la meilleure. Que je sois toujours ce que tu m'as destiné à être : une lumière qui brille dans les ténèbres de ceux qui ont perdu l'espoir, quelle qu'en soit la cause. »

Même si cette lumière m'échappe pour le moment, je suis sûre qu'elle ne m'a pas quittée tout à fait. Je la désire de tout mon cœur et de toute mon âme. Je la retrouverai, bientôt, je l'espère. Pour le moment, j'imagine un soleil radieux dans mon espace intérieur, un soleil dont les rayons s'élancent dans toutes les directions de mon être pour le renouveler, le restaurer, le régénérer, lui rendre le calme et la joie. J'ai besoin de cette lumière pour guérir. Je l'obtiendrai, j'en suis sûre. Désirer une chose intensément, n'est-ce pas déjà la posséder un peu? Cela me fait du bien d'y penser. Je commence à me sentir plus calme, plus en harmonie avec moi-même.

7

3 mai – Première rencontre avec le groupe d'entraide pour personnes atteintes de cancer, animé par la thérapeute de l'hôpital. Malgré la bonne humeur des participants, je découvre un monde de souffrance. Selon l'animatrice, parmi les personnes atteintes de cancer, beaucoup sont aussi affligées de culpabilité refoulée. Elles ne se sentent pas à la hauteur, pour toutes sortes de raisons. Elles ont une faible estime d'elles-mêmes. Peut-être... Suis-je à ma place ici, avec ces gens qui me paraissent beaucoup plus gravement atteints que moi? Je n'en suis pas tout à fait certaine. Je me contente d'observer et d'écouter. Ces rencontres ne peuvent me nuire, j'en conviens. J'y reviendrai, puisque plusieurs ont affirmé que ces rencontres les aidaient à surmonter leurs difficultés. Il y a là des gens franchement courageux qui ne s'apitoient pas sur leur sort.

4 mai – Je n'aime pas me sentir aussi mal que cette nuit; je me suis encore réveillée en criant. Un cauchemar? À l'état de veille, la peur a moins de prise sur moi; je m'occupe, je me distrais, je sors. Elle n'est jamais très loin, mais je réussis à la tenir à distance. En revanche, la nuit, elle semble s'infiltrer dans mon sommeil. Est-ce pour cela que je m'éveille en état de panique, habitée par des appréhensions alarmantes et la sensation d'être seule au monde? Je suis incapable de me rendormir, tant ces angoisses m'agitent. Qu'est-ce donc qui me fait crier dans mon sommeil? Je marche de long en large dans la maison pour tenter de me sécuriser et tromper le sentiment de solitude extrême qui persiste malgré le jour. Copain marche avec moi. Je suis vraiment contente qu'il soit là. Dommage que le mauvais temps nous empêche de sortir.

5 mai – En m'éveillant ce matin, je prends le temps de saluer le jour nouveau qui m'est donné. Je reste dans le silence de mon âme pour sentir la vie s'éveiller tout doucement en moi et autour de moi. J'embrasse sans réserve ce jour naissant. Je veux le vivre comme s'il était le dernier, afin qu'au bout de ce jour unique je sois remplie de calme et de confiance, et que je m'endorme, satisfaite et sereine. Ô mes anges, gardez-moi dans l'espoir et guidez-moi vers cette plénitude.

6 mai – J'ai repris mes notes et mes livres afin de revoir les traitements spécifiques pour chaque type de cancer. Je veux aussi me réserver un peu de temps, chaque jour, pour relire mes cahiers sur l'immunité. Surtout, je veux mettre à jour mon propre traitement. Ce travail m'aide à retrouver un certain degré de confiance, à la condition de m'arrêter avant de ressentir la fatigue. Je me félicite de mes progrès.

9 mai – J'ai sans cesse des papillons dans l'estomac et des tiraillements dans la gorge. Je ne sais pas ce qui les provoque. Est-ce la peur du cancer, de la solitude, de la mort?

Seule avec le cancer... seule pour vieillir... seule pour mourir...

Suis-je en train de devenir paranoïaque? Toutes ces peurs sont bien là, omniprésentes, même si je n'ose me les avouer ouvertement. Avant Cancer 2, je pouvais me distraire par toutes sortes d'activités. Je me racontais des histoires pour me calmer, pour me sécuriser. Aujourd'hui, je me rends compte que ces efforts ont échoué. Je n'ai réussi qu'à enfouir mes peurs dans l'espoir de ne plus les ressentir. Elles sont toujours là, intactes. Le cancer me les révèle comme s'il les contenait toutes; il les met en relief. Me l'avouer fait se dégonfler la peur bleue que j'ai du cancer. En effet, la peur diminue quand on la regarde en face, au lieu de tout faire pour l'éviter.

10 mai – Une insatisfaction profonde m'habite, ce matin, parce que je ne réussis pas à vivre comme je rêve de vivre ou plutôt comme je m'imagine que je devrais vivre : selon le mode de vie idéal, la diète idéale, les pensées idéales, les émotions idéales, les paroles idéales, les attitudes idéales. J'aimerais pouvoir me lever tôt tous les matins. Marcher pieds nus dans la rosée. M'abreuver du soleil levant. Méditer, prendre mon petit déjeuner, faire mes exercices, lire, etc. Je n'y arrive

pas. Je veux dire : pas tous les jours. Je voudrais tellement avoir la convalescence parfaite et aller mieux tout de suite. Pour être totalement franche, je voudrais être parfaite en tout. C'est trop. Comment puis-je être si tolérante avec les autres et si peu avec moi-même?

La barre est vraiment haute...

11 mai – Souper en mon honneur pour la Fête des mères et pour mon anniversaire de naissance, dans quelques jours. En l'honneur, aussi, de mon fils, qui part demain. Beaucoup de plaisir et de cadeaux pour lui et pour moi. J'ai déjà des papillons dans l'estomac à la pensée qu'il sera loin pendant de longs mois. Comment vivra-t-il son séjour si loin de la famille? Vais-je m'adapter facilement à son absence?

13 mai – Heureusement, Copain est là comme mon ombre. Toujours en quête d'affection à donner et à recevoir. Nous jouons à cache-cache et cela nous fait du bien, à tous les deux. Il dort maintenant près de mon lit, comme pour veiller sur moi. Il m'est devenu extrêmement précieux. Son intelligence et sa grande sensibilité m'étonnent sans cesse. Quand je lui parle, il manifeste clairement par toutes sortes de sons et d'expressions qu'il me comprend. Tous ceux qui viennent à la maison le remarquent. De plus, il a la capacité de deviner mes moindres intentions, de sorte qu'il est toujours en avance, comme s'il était branché sur mon esprit. Il est capable de communiquer télépathiquement avec moi. Il le fait surtout quand je travaille dans mon bureau. Il quitte la pièce sans que je le remarque et soudain, je dois m'arrêter. Je sais intuitivement que je dois me rendre au salon. C'est là que je le trouve, assis bien droit, le museau pointant dans la direction du bureau, immobile comme une statue. Il reste ainsi tant que je ne suis pas assise dans le grand fauteuil rose. Alors seulement, il vient lécher ma main. Ce comportement me surprend chaque fois. J'en suis à me demander s'il ne fait pas cela pour que je prenne un moment de détente. Je me laisse si facilement emporter quand je travaille à l'ordinateur ou dans mes notes.

14 mai – Je suis en larmes. Comme ça, tout d'un coup. Qu'est-ce qui a pu déclencher une pareille tristesse? Aujourd'hui, je suis allée déjeuner avec une amie, comme nous le faisons à nos anniversaires de naissance. Elle m'a offert le disque compact *Ghost*! Instantanément,

mes yeux se sont mouillés. « Je ne pensais pas que cela te ferait un pareil effet », m'a-t-elle dit, un peu embarrassée. Je n'ai pas osé commenter mon propre embarras, par crainte de faire augmenter une émotion que je n'aurais pas su expliquer. Je ne me comprends plus!

J'ai besoin de prendre l'air un peu; je me sens lourde. Je sors marcher avec Copain et respirer à pleins poumons. L'air est bon. Je le ressens comme une douche fraîche sur la peau de mon visage. Je ne m'en lasse pas. Je ferme les yeux pour mieux m'offrir à ce nettoyage. Le vent reste ce que je connais de mieux pour me laver des énergies embrouillées. Peut-être parce que j'ai été élevée au bord de la mer, là où le vent du large souffle parfois en rafales, parfois tout en douceur, pour déblayer et nettoyer ou pour réconforter. Ce sont sans doute les années passées au bord de la mer qui me poussent à rechercher le vent si souvent.

Je rentre à la maison et je prends une douche pour me rafraîchir et pour finir de nettoyer les résidus de la déprime. J'ai beau chercher dans ma garde-robe, je ne sais plus comment m'habiller avec ce sein manquant. Je ne veux plus y penser, alors j'allume la télé et je tombe sur une émission où l'invitée se met à chanter de sa belle voix : « *Because you loved me.* » Je fonds en larmes… encore! Je ne parviens pas à arrêter ces pleurs. Est-ce la chanson, la voix pure de la chanteuse, l'absence de mon fils, l'absence tout court? *Ghost? Oh my love, my darling…?* Cette boule ne passe pas. J'ai le cœur écrabouillé dans la gorge, le plexus solaire tordu. J'en ai du mal à respirer. Pourquoi ce bouleversement? Qu'est-ce qu'il renferme, grand Dieu? Mon amour perdu…? Mais non, c'est fini, enseveli dans le passé. La confusion et les pertes de mémoire, alors? La solitude? Le sein manquant? Assez! Assez! Je ne sais pas ce qui m'arrive et je m'en fous! Pour l'instant, ce « tordage » de cœur doit cesser. Il me faut reprendre ma respiration. Tout de suite.

Allons, tu sais bien que ce sont les larmes du passé qui t'étouffent ainsi…

Justement, du passé! Je mets Copain en laisse et nous nous précipitons dehors. Cette fois pour une marche rapide. Déjà, je respire mieux.

15 mai – Une collègue m'appelle. Elle m'annonce qu'elle est allée voir C. dont j'ai déjà entendu parler : « Tu devrais le rencontrer », me conseille-t-elle. Elle m'assure qu'il fait un beau travail avec l'énergie. Je ne sais trop quoi en penser, mais je note le numéro de téléphone qu'elle me donne. « Appelle-le! » insiste-t-elle. Je trouve très étrange qu'elle entre en contact avec moi, à ce moment-ci, elle qui n'a jamais été portée à me faire des confidences. Cela m'impressionne. D'autant plus que, tous les jours, je prie mes anges de me guider vers des moyens de m'aider à guérir. Et si j'appelais… Après tout, qu'ai-je à perdre? Si je peux avoir un rendez-vous rapide, je prendrai cela comme un signe que je dois y aller. Voilà ce que je demande à mes amis célestes.

Au bout du fil, C. me répond : « Je viens tout juste d'avoir deux annulations pour demain : l'une pour 16 heures et l'autre pour 17 heures. Qu'est-ce que vous préférez? » Le signe! Impossible d'en douter un seul instant.

16 mai – Je me suis réveillée, l'œil mouillé encore une fois, comme si j'avais pleuré durant mon sommeil. Cela commence à m'énerver pour de bon.

Écoute un peu la petite voix…

Oui, oui, je sais, j'ai plein de larmes en dedans. Mais ce sont de vieilles larmes. Des larmes qui appartiennent au passé.

Des larmes qui ont sans doute besoin d'être pleurées, sinon elles ne remonteraient pas…

Mais j'ai déjà pleuré mes peines! Pourquoi faudrait-il recommencer? Pourquoi maintenant? Ce déluge a commencé avec le cadeau du disque compact *Ghost*. Les larmes jaillissent à la moindre distraction ou dans mon sommeil. Sans doute pour que je ne sois pas tentée de les empêcher, comme j'ai l'habitude de le faire. Maintenant, on dirait que je ne sais plus me contrôler, surtout quand je suis prise au dépourvu. Avec les larmes, des images font maintenant irruption pêle-mêle dans ma mémoire : images de tragédies, de bonheur perdu, de pleurs d'enfants, de froid, de vide, du temps qui s'est figé, des mots qui n'appartenaient qu'à nous… de l'accoutumance à la solitude.

Ces douleurs me font mal au ventre, où elles sont enfouies depuis longtemps. Pourquoi et, surtout, qu'est-ce qui les force au réveil, maintenant? Elles remontent à la surface sans que je puisse les contenir, elles débordent comme une rivière qui éclate sous le dégel du printemps. Toutes les peines de ma vie, repliées sur elles-mêmes, emprisonnées dans mes cellules, sont là maintenant. Le temps et l'habitude de les écarter n'ont pas réussi à les tarir. Mes fibres n'en peuvent plus de porter ce poids et n'aspirent plus qu'à en être déchargées. Je ne ravale plus, je n'en suis plus capable. Impossible de me dérober à ce qui se passe en moi. J'en suis totalement affolée.

8

Le malaise de mon âme serait-il lié à la perte de mon mari... et à mes autres deuils?

Ciel! Tout à coup, je sais ce qu'est le cancer pour moi, oui, je le sais, maintenant! Cette prise de conscience me plonge dans un silence intérieur angoissé. Je n'aurais donc rien réglé avec Cancer 1? J'aurais eu ce cancer pour rien? Cette découverte m'abasourdit. Un goût amer me monte aux lèvres.

Surtout, ne pas m'en vouloir.

Tout au long de ces années, je me suis acharnée à croire que les vieilles larmes n'ont pas à être pleurées puisqu'elles appartiennent au passé. Mais quand le passé les fait jaillir de leur abri pour les amener au bord des lèvres et des yeux, il devient le présent et tout se mêle en moi. Je ne veux pas qu'il en soit ainsi. Ah non, le passé a déjà fait trop mal!

Ce qui est mort est enterré à jamais, fini! En arrière, le passé, et en avant, Réjane! Ravale tes larmes. Cache-les bien au fond. Pas question de garder le passé au présent. Non, ne pleure pas, ça va passer. Fonce sans te retourner, jusqu'à ce que le cancer t'arrête, une fois, deux fois. Pleure, maintenant. N'aie plus peur, tu vas guérir!

Oui, j'ai tout fait pour chasser le souvenir des drames que j'ai vécus, dans l'espoir de faire reculer la douleur et d'oublier ce que j'étais incapable d'accepter. Hélas! rien ne s'oublie, ni les chocs, ni les horreurs, ni la peine, ni même les paroles soi-disant encourageantes. Elles remontent elles aussi à la mémoire, encore tout engluées d'amertume : « La vie continue... Oublie, tourne la page... Tu ne peux pas te laisser aller... Pense à tes enfants... Regarde autour de toi, tu verras qu'il y a pire... Il faut te faire une raison... Tu es chanceuse, tu as connu le bonheur… Un divorce, c'est pire, tu sais… Au moins, il est mort; imagine s'il était parti avec une autre… Tu dois refaire ta vie… » Paroles aussi futiles qu'insensées et qui déchirent mon âme encore aujourd'hui. Ceux et celles qui les prononçaient croyaient sans doute m'encourager. Mais je n'ai jamais compris comment on pouvait mesurer et comparer la douleur. Il n'existe aucune mesure de la douleur! Le manque de tact et de sensibilité de ces propos me laissait désemparée. Je n'avais même pas la force de les faire taire, tellement ma souffrance était intense. Je n'ai pu que me réfugier au fond de moi-même, là où personne ne pouvait m'insulter.

Cette détresse qui était restée coincée dans mon cœur s'écoule maintenant comme si un abcès venait de crever. Je suis estomaquée de ce débordement. Un barrage vient de céder. Je vais guérir! Je me le dis et me le répète. Enfin, je touche du doigt la cause réelle du cancer en moi! Non seulement la cause, mais la clé. Puisque le refoulement de grosses peines semble la cause du mal, le traitement paraît assez évident…

Mais comment me l'administrer sans qu'il me démolisse?

17 heures – Rencontre avec C. – L'impression de l'avoir toujours connu. Je lui parle comme à un frère. Je lui raconte brièvement ce qui m'amène vers lui. J'ai la larme encore facile, la gorge serrée, sans raison apparente. Il m'explique sa théorie : le travail de la lumière rejoint l'ADN et produit un effet semblable à celui d'une chimiothérapie. Je ne sais pas trop quoi en penser ni à quoi m'attendre, mais je m'étends sur la table en toute confiance. Il place ses mains sur ma tête et je me détends. Ma respiration devient profonde, elle se déploie jusqu'à envahir toutes mes cellules. Je demande à mes docteurs célestes d'assister ses mains et je m'abandonne en toute sécurité. Soudain, j'ai la sensation d'une autre main qui se pose à la gauche de mon plexus solaire, en appuyant fermement. Nous sommes seuls pourtant dans la pièce, les mains de C. sont restées sur ma tête et mes propres mains reposent le long de mon corps. D'où vient donc cette autre main et que fait-elle sur moi? Je sais pourtant que je n'ai rien à craindre; après tout, n'ai-je pas demandé l'aide céleste? Cette main inconnue demeure sur mon plexus aussi longtemps que C. garde les siennes sur moi. Après le traitement, il me dit avoir perçu la blessure du cancer comme

une grande brûlure, mais que tout rentrera dans l'ordre sous peu. Des tourbillons d'énergie me donnent envie de rire. Je me sens délicieusement grisée.

Grand Dieu!

À qui, à quoi ai-je eu affaire? Qu'importe! Je ne pleure plus et je vais bien. J'ai le sentiment très net d'être à la bonne place. Ce sentiment particulier est devenu pour moi un critère de sélection fiable; il ne m'a jamais trompée. Chaque fois que je l'ai éprouvé, j'ai eu la confirmation que j'étais au bon endroit, avec la bonne personne ou sur la bonne voie. Je lui fais donc confiance une fois de plus. Au fond, n'est-ce pas ce que j'avais demandé à mes anges avant de venir? La réponse est claire.

Dehors, je marche un long moment pour calmer mon effervescence avant de rentrer chez moi.

17 mai – Bonne fête, moi! Je me souhaite tout ce qu'il y a de meilleur au monde. J'allume un bâton d'encens et une bougie. En méditant sur la flamme, je prie pour que grandisse celle qui est à l'intérieur de moi. De tout mon cœur, j'appelle la lumière, car je crois que c'est elle qui guérit. J'accompagne mon petit rituel d'un exercice de visualisation-santé, au son d'une musique zen.

22 mai – Rencontre avec la thérapeute de l'hôpital. – Contrairement à la première fois, je parviens à lui parler de mon amour perdu sans pleurer. Elle m'invite à apporter des photos, la semaine prochaine. Immédiatement, je me sens réfractaire à cette demande, sans toutefois lui en donner la raison. Revoir les photos m'obligerait à regarder le passé. J'hésite…

23 mai – Nouvelle rencontre avec C. – Cette fois je ne pleure pas. Je demande encore une fois l'assistance de mes amis célestes. De temps en temps, je vois des esquisses de visages se pencher sur moi. J'essaie d'en avoir une image plus claire, mais ils disparaissent aussitôt. Je n'ai pas l'habitude d'entrevoir l'invisible. Je devrais être morte de peur ou, tout au moins, m'étonner de ce qui se passe ici, mais je reste dans un état de calme absolu. Je savoure ce bien-être indescriptible, toujours en contact avec mon critère de sélection. J'ai la certitude que je n'ai rien à craindre. Je peux m'abandonner au travail de la lumière en

toute quiétude. C'est si simple que j'en ris! De plus, je constate avec bonheur que mon niveau d'énergie a remonté d'un cran. Elle n'est pas encore constante, mais cela viendra. J'ai confiance.

26 mai – Cet après-midi, j'ai décidé de sortir mes boîtes de photos. Je veux en choisir quelques-unes pour les montrer à la thérapeute de l'hôpital, comme elle en a manifesté le désir. D'abord, des photos actuelles des enfants, puis d'autres, prises lorsqu'ils étaient petits. Je consens à faire ce voyage à rebours dans ma vie, à la condition de ne pas trop m'y attarder. Juste un survol. Après tout, ce ne sont que des photos...

Je n'ai pas revu la plupart de ces photos depuis très longtemps et je suis fébrile. Lorsque je regarde celles qui témoignent des années de bonheur, j'ai l'impression de contempler une autre vie ou presque. Tout est si différent maintenant. Malgré ma résolution de ne pas m'attarder aux souvenirs que les photos provoquent, je ferme les yeux et je me laisse aller à goûter l'énergie qui nous habitait alors. Un temps si lointain, pourtant encore si vivace dès que je m'y arrête. Comme nous étions épanouis... Quel contraste avec les clichés d'après où quelque chose semble figé en nous. Comment ne pas voir ce qu'ils révèlent? Tout ce passé que j'ai tenté de barricader au fond de ma mémoire... Non, je ne me laisserai pas envahir par ce nuage noir. Vivement, je choisis d'autres photos où l'ombre du nuage n'est pas encore visible. J'en mets plusieurs de côté, qui montrent les enfants à des âges différents, avec celles prises un mois avant la tragédie, celles de nos dernières vacances au bord du lac. Un lac presque aussi grand que la mer, où nous chantions le soir autour d'un petit feu de camp. Je ne peux résister à l'évocation de ces jours heureux, si lointains, mais si présents en ce moment.

J'entends à nouveau les rires, les chants... Je nous revois nous baignant dans ce lac de rêve...

Il faisait un temps magnifique. Nous avions décidé de partir à l'aventure, sans destination précise, pour une randonnée de quelques jours. Nous n'avions pris que nos vêtements de nuit et nos brosses à dents. Nous nous sentions libres comme l'air et les enfants étaient fous de joie à l'idée de partir vers l'inconnu. En fin de journée, nous avions découvert cette immensité de calme, un lac que nous ne connaissions pas. Une paix sublime émanait de ce lieu. Au petit village tout à côté, nous avions rapidement trouvé le propriétaire du chalet qui semblait nous attendre, là au bord de l'eau. Nous y étions restés plus d'une semaine, chaque jour incapables de quitter la beauté quasi extravagante de la nature qui nous entourait, sauvage et grandiose à la fois.

Je repousse l'ombre grandissante pour me griser encore de ces souvenirs intacts, mais je ne peux m'y abandonner totalement. Comme ce serait agréable de me laisser aller à contempler le bonheur d'autrefois sans que l'ombre des tragédies ne viennent réveiller l'horreur. Le pourrais-je, un jour? Pour l'instant, je refuse de me laisser envahir par ce nuage menaçant. Pendant que des grands pans de ma vie défilent sur mon écran intérieur, je réussis à garder les tragédies en retrait. Je survole ainsi rapidement le passé, tout en prenant conscience du temps qui passe sur nos vies, étalant ici et là des voiles sur les blessures restées à nu. C'est bien, mais tôt ou tard la vie commandera au temps de s'effacer. Alors, les voiles se feront de plus en plus diaphanes et ils se déchireront pour mettre au jour ce qui a été occulté. Je pressens que c'est exactement là que Cancer 2 veut m'amener, malgré l'angoisse qui m'étreint et me fait hésiter encore. Lorsque Cancer 1 est apparu, je l'ai tenu à distance pour ne pas le voir en face. J'en avais si peur que je suis restée hermétiquement fermée au message qu'il portait. J'ai mis toute ma confiance en mon extraordinaire capacité de contourner et de sauter par-dessus les obstacles, totalement inconsciente qu'ainsi je courais à ma perte. Cette stratégie ne réglait rien du tout. Elle m'a permis de développer une grande débrouillardise, sans plus. Je ne peux me permettre à nouveau l'échec de Cancer 1, le risque est trop grand. Aussi étrange que cela paraisse, Cancer 2 ne m'apparaît plus comme porteur de destruction, mais bien plutôt comme une main qui m'est tendue. Vais-je hésiter encore longtemps à m'y agripper?

28 mai – Rencontre avec C. – Dès que le travail commence, je suis prise de soubresauts au niveau du plexus solaire. J'en ai du mal à respirer alors que je ne peux plus contenir mes sanglots. Colère. Révolte. Pleurs par saccades. Impossible d'empêcher ce flot d'émotions. Je ne ressens cependant aucune inquiétude; les docteurs célestes m'accompagnent, cela me suffit. Quand le calme revient, j'ai

l'impression d'être complètement enfoncée dans la table et lourde comme du ciment. C. reste près de moi un long moment. Sa présence silencieuse me réconforte.

Je marche dans le soleil pendant plusieurs minutes avant de reprendre la route pour rentrer chez moi. En arrivant, je me couche et je dors deux bonnes heures. Au réveil, je prends conscience de ce qui se passe en moi ou plutôt de ce qui s'est passé. En un clin d'œil, ma mémoire me montre le supplice que j'ai vécu d'empiler mes souffrances, couche par-dessus couche, pour les enfoncer toujours un peu plus profondément en moi. Ces chagrins qui ont habité si longtemps les abysses de mon âme commencent leur remontée à la clarté de ma conscience. Ce n'est plus une question de survie mais de vie tout court, je le vois distinctement.

Le poids des épreuves passées m'accable. Je me sens fautive de les avoir amoncelées et gardées enfouies si longtemps, comme si j'en avais honte. Non, je ne céderai pas au chantage de la culpabilité, toujours prête à trouver une faille pour se braquer devant moi et me démolir. Tous les moyens sont bons! Aujourd'hui, j'affirme que je ne me détournerai plus de la souffrance qui m'habite. Au contraire, je vais l'offrir à la lumière pour qu'elle soit transformée en guérison. Voilà ce que j'ai à faire!

29 mai – Rencontre avec la thérapeute de l'hôpital. – Je lui tends les quelques photos que j'ai apportées. La beauté de mes enfants la fait craquer. Elle s'extasie devant chaque photo, au fur et à mesure que je raconte comment c'était *avant*. Que c'est bon de pouvoir parler de *lui*, de *nous*! Enfin, parler à quelqu'un qui me laisse parler! J'ai un tel besoin de dire et redire le bon temps vécu ensemble! Le bonheur tout simple, si précieux, car nous l'avions payé si cher. Oui, raconter mon passé, encore et encore, pour toutes les fois où je n'ai pu le faire. Quel soulagement! C'est le grand vent du large qui souffle en rafales tourbillonnantes. Je m'offre à ses bourrasques sans aucune résistance. Je rentre à la maison avec une certaine légèreté au cœur et dans la tête.

9

30 mai – Rencontre avec le groupe de soutien de l'hôpital. – L'animatrice a apporté un court texte sur la culpabilité. Elle invite D. à nous en faire la lecture. L'auteur raconte ce qu'il a vécu de peine et de culpabilité à la mort de son enfant, à sa naissance. Quel coup inattendu! Une boule monte dans ma gorge à toute vitesse, elle grossit de seconde en seconde. Je me mords les lèvres à mesure que ma poitrine se gonfle. Je voudrais m'insensibiliser. J'entends les autres s'exprimer sur la place du sentiment de culpabilité dans leur vie. T., aux prises avec un malaise subit, tombe à la renverse, évanouie. Comme ça, sans avertissement. Je suis bouleversée de la voir étendue par terre. Alors qu'elle reprend ses esprits et que le brancardier arrive pour l'amener à l'urgence, je l'entends murmurer, en tremblant : « Je ne veux pas me sentir coupable. » Nous sommes tous ébranlés par ce qui vient de se passer. Lorsque le calme est revenu, l'animatrice, qui voit tout et qui a remarqué mon malaise pendant la lecture de la lettre, m'invite à l'exprimer. Tout ce que je trouve à dire, c'est que si j'avais su, je ne serais pas venue. Personne ne pouvait savoir que cette lecture ouvrirait une telle brèche dans mon cœur.

Alain...

J'éclate en larmes, incapable de me contenir. Tout remonte en bloc. La culpabilité emmêlée à la peine, au moment de la mort de mon tout-petit. À travers mes sanglots, je m'entends marmonner : « Je veux que cela cesse, mais impossible d'oublier, je ne veux plus de larmes; je n'en veux plus! » L'animatrice explique que ce qui a été emprisonné dans le corps y reste tant qu'un déclencheur ne vient pas en forcer l'irruption. Elle ajoute que je dois enfin me laisser vivre ce qui n'a pas été vécu. Je lui crie : « Je l'ai vécu une fois, n'est-ce pas assez? »

Pourtant la blessure n'arrive pas à se cicatriser.

Et P. de dire que lui-même a dû revivre sa propre souffrance plusieurs fois pour en épuiser toute l'énergie. Malgré le réconfort qu'il m'offre, j'ai le cœur en morceaux. Les larmes surgissent comme des lames de fond que je suis impuissante à endiguer. Au creux de la vague, il y a Alain. Mon tout-petit, mon trésor.

Même si je devais vivre encore cent ans, je garderais souvenance des instants de pur bonheur de ce temps-là. Je les ai conservés dans un repli particulier de mon cœur, à l'abri de l'écoulement des années et de l'oubli. Ils déferlent maintenant, intacts dans l'air libre de ma mémoire, malgré mon amertume et mes efforts pour garder cette porte verrouillée.

Ô Alain, comme je t'ai désiré! Je t'invitais… je t'attendais…

Et les deux moments de ce passé lointain commencent à apparaître sur mon écran intérieur.

Cette nuit-là, je n'avais pu dormir, enveloppée par l'amour, dans un état second que je voulais savourer sans fin. Cette béatitude ne m'a pas quittée de toute la matinée. Vers la fin de l'avant-midi, alors que je me peignais, face au miroir de la salle de bains, j'ai été prise d'un tressaillement soudain, une sorte d'éclatement qui m'a soulevée de terre. J'ai su tout de suite que mon fils venait de prendre racine en moi. À ce moment précis. Une certitude absolue. Je vacillai, soûle d'une joie quasi insupportable. J'étais ébahie par cette vie en train de s'implanter en moi, une vie qui venait de me choisir. Des tourbillons d'énergie déclenchaient mon rire, malgré une sensation de vertige. Puis, je me suis vue dans le miroir. C'est-à-dire que j'ai vu mon corps monter, je ne voyais plus que le bas de mon visage. Comment peut-on dire ces choses sans courir le risque de passer pour une personne à l'esprit dérangé? Qu'importe! Je sais ce que j'ai vu, je sais ce que j'ai vécu, cela me suffit. Oh! oui, cela me suffit. Je me suis penchée pour saisir le rebord du comptoir au moment où la chose était encore possible. J'ai constaté que mes pieds flottaient six à huit pouces au-dessus du sol. La sensation de légèreté et le vertige provoquaient mes éclats de rire. Dès que j'essayais de lâcher le comptoir, mon corps recevait une poussée vers le haut. Je n'arrivais pas à redescendre et à poser mes pieds sur le sol. Au bout d'un certain temps, j'ai réussi à me tirer suffisamment vers le bas pour voir apparaître ma tête au complet dans le miroir. Il me semblait découvrir une autre personne tellement mon visage était dilaté. Mes yeux et mon sourire miroitaient de lumière, ma peau était rosée et palpitante. Jamais je ne m'étais vue aussi radieuse. Je suis restée agrippée au comptoir, à la fois décontenancée et éblouie, me demandant en riant comment m'y prendre pour marcher sans basculer en avant. En glissant mes mains sur les murs, j'ai réussi à flotter hors de la salle de bains. Dans le couloir menant au salon, j'ai senti mes pieds toucher le sol à chaque pas. Le vertige a diminué et j'ai pu laisser les murs. Je goûtais une ivresse exquise, une effervescence indescriptible. Je ne comprenais pas encore que j'étais en train de vivre une expérience pour le moins étonnante et même bizarre. Je n'avais qu'un but : rejoindre ma petite fille qui s'amusait tranquillement au salon. En me voyant, elle s'est jetée dans mes bras. Serrées l'une contre l'autre, nous avons tournoyé en riant de bonheur. Les mots seraient inadéquats pour exprimer les vagues d'extase qui continuaient à déferler en moi, ou plutôt en nous, car elle aussi se laissait imprégner des flots d'amour qui irradiaient en tout sens.

Cher trésor, la pensée que tu m'avertissais de ton arrivée me chavirait le cœur de bonheur. Je t'ai appelé tout de suite par ton nom. C'était toi, tu étais enfin là, bien au chaud, au creux de mon être.

Et moi j'étais en adoration, tant ces moments bénis me transportaient.

Lorsque mon mari revint du travail pour le dîner, il nous trouva encore dans cette ivresse. Je l'ai attiré à moi, émue à la pensée que nous étions quatre, amoureusement unis dans une même étreinte. Je savais d'instinct que je ne pouvais lui raconter l'expérience que je venais de vivre. Les mots en auraient brisé le charme. C'était quelque chose à garder dans le secret de mon cœur. Je lui annoncerais la bonne nouvelle plus tard, lorsque l'influence de cet instant exceptionnel se serait dissipée.

Je prenais plaisir à te parler par télépathie, dès que j'étais seule avec toi, quand je te berçais ou quand je me reposais. Je recherchais ces moments qui me permettaient de sentir ta présence de façon encore plus intense.

Les mois s'écoulaient comme un seul jour tissé de rires et d'amour. Je n'avais pas envie de retrouver les amies pour des activités de loisirs. J'étais bien avec mes amours; je n'avais besoin de rien d'autre. Cependant, je m'efforçais d'entretenir de bonnes relations avec elles, car je vivais loin de ma famille et elles étaient devenues ma deuxième famille.

Je consacrais mes journées à ma petite fille. J'aimais lui apprendre de nouveaux mots. Elle comprenait les explications simples que je donnais et elle s'exprimait déjà avec une clarté surprenante pour son âge. L'étendue de son vocabulaire étonnait ceux qui l'entendaient. Elle adorait m'aider à la préparation du trousseau et de la chambre pour son petit frère. Elle était ravie lorsque nous nous arrêtions au magasin pour acheter des nouveautés pour la layette. Nous aimions marcher dans l'air vif et sec, surtout quand la neige crissait sous nos pas et que sa blancheur étincelante nous faisait plisser les yeux. Chaque chose rayonnait alors de lumière. Souvent, elle courait devant moi, puis se retournait et venait se jeter dans mes bras. Ces randonnées quotidiennes me remplissaient d'énergie.

Au fur et à mesure que tu te déployais en moi, tu avais une façon bien particulière de me faire savoir que tu recevais mes messages et que tu sentais mes câlins. J'étais émerveillée par ces moments magiques. Je me souviens comme si c'était hier de la tendresse qui nous enveloppait tous les quatre, quand nous chantions « Fais dodo, Alain, mon p'tit frère », juste avant le coucher de ta sœur.

Nous habitions à ce moment-là loin des grands centres urbains et nous nous sentions enveloppés dans le manteau de l'Univers. Le bleu profond du firmament n'était pas terni par la pollution, les nuages rayonnaient de lumière. Ils me rappelaient ceux de mon enfance. Le soir venu, la lune projetait une lueur éclatante qui donnait l'impression que la nuit était sans danger. Même les étoiles semblaient plus proches de la terre. C'était une joie sans pareille de contempler un si vaste déploiement de beauté, d'harmonie et de tranquillité.

Cette étape de ma vie fut sans doute la plus exaltante. Nous faisions partie du groupe des pionniers d'une ville en devenir. Une ville qui sortait d'une vaste forêt, au bord d'un lac immense. Nous avions assisté à la coupe du premier arbre et à la levée de la première pelletée de terre. Cette naissance d'une ville était pour moi une aventure incroyable. Pour rien au monde, je n'aurais voulu être ailleurs, même si, parfois, l'isolement me pesait. En un temps record, un colossal chantier s'était mis en branle et la ville poussait comme un champignon. Les rues se construisaient par dizaines en même temps. Toutes prenaient la forme d'un pétale dont l'ensemble devait former une immense marguerite. Le centre de cette gigantesque fleur était réservé aux installations nécessaires au bon fonctionnement de la ville. Elles furent mises en place, en même temps que les rues et les maisons, dans des constructions temporaires qu'on prévoyait remplacer par des édifices permanents, une fois la ville achevée. Magasins d'alimentation et de vêtements, bureau de poste, restaurant, etc., étaient prêts pour l'arrivée des premières familles.

Il va de soi qu'un chantier de cette envergure était planifié depuis des années. La compagnie à l'origine du plan bâtissait en même temps une énorme usine qui emploierait la majorité des travailleurs de la future ville. Deux chantiers étaient donc en marche en même temps. Un projet aussi démesuré employait des milliers de personnes. Un imposant parc de maisons mobiles avait été aménagé pour les loger. Assez rapidement, des dizaines puis des centaines de familles commencèrent à arriver, toutes animées par le désir de s'y préparer un avenir confortable, au sein d'une nature exceptionnelle. Cette prodigieuse activité dégageait une énergie qui portait à l'invention, car tout était à faire dans cette fourmilière. Il y régnait un enthousiasme communicatif qui faisait oublier l'éloignement. Prendre part à cette aventure, en même temps que la vie se déployait en moi, me remplissait d'émerveillement et décuplait mon énergie.

Dans mes promenades quotidiennes avec ma petite fille, je passais devant un établissement spécialement aménagé pour les urgences et les soins mineurs en cas d'accidents. Chaque fois, je me disais que je devrais m'y arrêter pour une courte visite. Juste pour voir. Je savais que tout était en place pour un éventuel accouchement précipité.

Cependant, quelque chose m'en empêchait. Je tournais les talons dès que j'étais sur le point d'entrer, en me disant que cette visite était inutile puisque j'irais accoucher ailleurs, comme nous l'avions prévu.

Le temps s'étirait en une sorte de beau jour sans fin qui rendait l'attente agréable et douce. Je me trouvais belle quand je me regardais dans le miroir, rayonnante comme je ne l'avais jamais été. Ce moment béni se déploierait à l'infini, je n'en avais pas l'ombre d'un doute. Pourquoi aurait-il pris fin? La vie se construisait en moi et autour de moi. Le ciel m'apparaissait d'un bleu constant; je ne pouvais imaginer qu'il pouvait s'assombrir. Je me croyais à l'abri de tout dans mon cocon rose. Il m'était impossible d'entrevoir la destruction de mon bonheur. *Une pareille candeur… quelle naïveté!*

Nous nous étions entendus avec une amie d'une ville voisine pour qu'elle m'accueille chez elle, deux semaines avant la date prévue pour la naissance du bébé. Comme elle habitait près d'un hôpital, je n'aurais pas à craindre le voyage ou une tempête. Nous ne voulions prendre aucun risque. Mais la mort était aux aguets. Nous n'avons même pas eu le temps de nous rendre chez mon amie. Tout a chaviré sans aucun avertissement. La lumière s'est retirée brusquement, comme avalée par une noirceur subite et interminable. D'un coup, ma naïveté fut démolie.

Il est né pourtant, en suçant son pouce. Sitôt sorti de mon ventre, il a été éloigné de moi, enveloppé et gardé bien au chaud, pendant que le docteur faisait des démarches pour qu'il soit transporté rapidement dans un hôpital. Il ne voulait pas le garder au dispensaire où, disait-il, « ce n'était pas un endroit pour naître ». J'ai vu mon bébé partir, dans le froid d'une nuit sibérienne, enfoui dans un petit panier rempli de couvertures réchauffées par des bouillottes, accompagné d'une infirmière et de son père. Comme je ne pouvais bouger sans courir le risque d'une hémorragie, on a refusé que je l'accompagne. Nous avons donc été séparés.

Impossible de dire, mon trésor, la souffrance des heures qui ont suivi. Je sentais que tu avais besoin de moi, de ma chaleur, de mon énergie…

Aujourd'hui, les choses se passeraient autrement. Un hélicoptère de secours serait sur les lieux en un rien de temps. À cette époque-là, et dans ces conditions, un tel service était impossible. J'étais obsédée par la pensée que mon enfant avait besoin de moi et déchirée par mon impuissance à le retrouver. Je lui envoyais des ondes positives, mais était-ce suffisant? L'angoisse me torturait; j'avais mal dans tout mon corps de cette séparation. Je priais pour qu'une infirmière se penche sur lui, lui donne sa chaleur et sa tendresse. Je ne cessais de réclamer que l'on me transporte auprès de lui, mais en vain. Il est mort deux jours plus tard, sans que nous soyons là pour l'accompagner, sans avoir goûté la chaleur de mes bras et les mots chuchotés à son oreille, les caresses de nos mains sur sa tête, de nos lèvres sur son visage. J'ai su tout de suite que cette séparation brutale l'avait tué.

Que le paradis puisse se désintégrer si brusquement, de façon aussi inexplicable et déraisonnable, m'a assommée net. Je n'essaierai même pas de dire les tourments de mon corps ni la douleur de mon âme. C'était un 9 février. C'est tout.

Comment explique-t-on la mort à une enfant de deux ans? Comment lui faire comprendre qu'elle n'aura pas le petit frère tant attendu, à qui elle chantait tous les soirs : « Fais dodo, Alain, mon p'tit frère », à qui elle racontait des histoires, la tête sur mon ventre? Comment lui redonner confiance puisque nous l'avions trompée? À tous ceux qui venaient à la maison, elle disait : « Viens voir la chambre de mon p'tit frère Alain. » Puis elle s'empressait de montrer toutes les belles choses que nous avions achetées. Cela me rendait folle. Souvent, il me semblait entendre pleurer dans la chambre laissée intacte. J'accourais et je trouvais le berceau vide.

Les journées sont devenues longues; les nuits, interminables. Il y avait mon ventre vide et brûlant comme un brasier que rien ne pouvait calmer. Il y avait mes bras démesurément longs, maigres et sans vie. Il y avait mon pauvre amour, anéanti par ce pénible voyage dans la nuit glacée, rongé par la culpabilité d'avoir laissé son fils pour venir à mon chevet. Il y avait ma petite fille qui ne riait plus, qui se plantait devant moi tous les jours pour me commander, en me fixant de ses yeux magnifiques : « Chante maman, chante, Alain, mon p'tit frère. » Il y avait moi qui maudissais le Ciel. Le vol de mon enfant, arraché à la vie sans que nous ayons pu l'étreindre, me remplissait de révolte. Dans le silence froid de mon cœur, je maudissais cette ennemie sournoise et jalouse de notre bonheur, je la traitais de tous les noms.

Au début de mai, le temps est venu de mettre la dépouille de notre fils en terre. La vue du cercueil contenant le corps gelé de notre fils nous a déchiré le cœur. Nous étions là, serrés l'un contre l'autre, pour la cérémonie des anges. Une belle-sœur nous accompagnait. Des religieuses se sont mises à chanter de leurs voix angéliques des mots insensés qui heurtaient mon âme : « Le Seigneur est mon berger. Il me conduit en de verts pâturages… » Je me suis bouché les oreilles de mes mains pour ne pas en entendre davantage, tant ce chant m'offensait. Ma gorge était si pleine de nœuds que la douleur se répandait jusque dans ma tête et m'étourdissait. Nous étions là, tous les deux, main dans la main, désolés jusqu'aux os, à regarder la boîte blanche que nous avions couverte de fleurs. Elle contenait bien plus que le corps de notre enfant chéri. Elle contenait aussi notre bonheur.

Dans cette ville inachevée, le cimetière n'existait que sur papier. Un terrain avait bien été prévu à cet effet, mais comment penser à la mort quand on habite un lieu où tout est neuf et où la moyenne d'âge ne dépasse pas quarante ans. Le cimetière avait tout naturellement été mis de côté pour laisser toute la place aux choses de la vie. Quelle insouciance. Il n'y avait donc qu'un terrain boisé où quelques arbres avaient été abattus à la hâte. À notre arrivée, une pelle mécanique creusait un trou. Une pluie fine et froide donnait un air de novembre à ce jour de mai. Hypnotisée et horrifiée à la fois, je regardais le trou se remplir d'une eau grisâtre qui se transformait rapidement en une boue visqueuse. Le prêtre récita une prière. Je n'entendais qu'à moitié les paroles du non-sens. Mon cœur était en train de décrocher, ma poitrine s'enfonçait profondément dans un étouffement que je n'arrivais pas à contrôler. Mon pauvre chéri se tenait contre moi, nos mains glacées et sans vie soudées l'une à l'autre. L'un des hommes a laissé tomber le petit cercueil blanc, qui disparut tout entier dans la vase. Derrière nous, ma belle-sœur s'est enfuie en marmonnant : « Je ne peux pas voir ça. »

Et nous?

Un homme a tenté de planter une croix blanche dans la terre glaise fraîchement retournée. Il a dû frapper plusieurs fois avec une pierre pour la faire tenir droite. Je ne m'étonne pas d'entendre encore résonner en moi les coups sur le bois blanc. Nous sommes restés là, transis et hypnotisés par cette glaise maudite qui venait d'avaler le corps de notre fils. Le cœur en lambeaux, l'esprit vide, nous ne pensions à rien. Le prêtre est venu nous dire qu'il était temps de partir. Comme des automates, nous sommes rentrés à la maison. Main glacée dans main glacée. Muets de douleur. Incapables du moindre geste.

Mon âme tremble à l'évocation de ces souvenirs. Ma vue s'embrouille, ma gorge se noue et mon souffle se fait court. Une blessure semblable peut-elle vraiment guérir? Un trou reste béant dans ma chair vive. Une bien mince pellicule le recouvre, donnant l'impression d'une cicatrice.

Combien de temps à vivre ainsi, dans une terre glacée? Longtemps. Longtemps. La mort semblait m'avoir dépouillée de mon essence. Comment savourer la vie quand le cœur déborde de révolte et de chagrin? On se laisse happer par le quotidien et on se force à faire comme si. Pour les autres d'abord et parce que la douleur devient ainsi plus tolérable. Faire semblant devient une habitude.

Je ne pleurais plus devant mon mari. Il en souffrait trop. Et lui ne pleurait pas non plus devant moi, parce qu'il croyait que ses larmes auraient ajouté à ma souffrance. Le silence nous habitait tous les deux. Qu'aurions-nous pu dire? Il n'y avait pas de mots ou, plutôt, ils étaient d'une pauvreté si navrante, à mille lieues de traduire nos états d'âme. À la faveur d'un regard ou d'une étreinte, cependant, nous nous comprenions.

Mon mari avait perdu sa joie de vivre et il m'était intolérable de le voir dans cet état. Je souffrais aussi de ne plus être capable de rire et de chanter pour ma petite fille. Elle ne comprenait pas notre changement d'humeur et mon impuissance à l'expliquer augmentait ma souffrance. J'avais la sensation d'avoir été trouée au centre de moi-même et cette blessure n'arrêtait pas de brûler. Je savais très bien que cette brûlure provenait de l'arrachement qu'avait subi mon corps et de la douleur de n'avoir pu étreindre mon enfant tant désiré. J'avais l'impression d'un vide immense, comme si j'avais perdu le noyau de mon être. Notre bonheur nous avait été volé. L'espoir de le retrouver ne m'effleurait même pas.

Je ne priais plus. Dieu était absent. Ou, plutôt, il me semblait que je l'avais tellement maudit qu'il devait s'être enfui. Je m'en voulais amèrement de la naïveté qui m'avait fait croire en un Dieu capable de prendre soin de ses enfants. À mes yeux, il était devenu un dieu sadique, s'amusant à donner à pleines mains, puis à tout retirer d'un coup, selon son caprice. Je n'avais aucun besoin de ce monstre dans ma vie. Dieu n'était plus Dieu. Pourtant, je souffrais immensément de l'avoir perdu. Ce rejet avait ouvert en moi une fissure qui restait béante. Il m'arrivait de penser que la naïveté et les croyances idiotes en un faux Dieu valaient encore mieux que mon vide intérieur. Vivre sans le sentiment d'une présence divine m'était difficile. Mais je ne savais plus qui était Dieu ou même s'il existait un vrai Dieu.

Que restait-il de la femme épanouie, vibrante, amante de la vie, capable de s'émerveiller devant un brin d'herbe et de s'émouvoir devant le chant d'une corneille, au printemps? Rien. Ma vie avait basculé. Je n'étais plus moi-même et ceux que j'aimais en souffraient.

Peut-être les rayons du soleil ont-ils réchauffé nos cœurs transis, mais petit à petit le froid a perdu de son mordant dans nos âmes. Je me suis mise à rêver à ce qu'avait été notre vie, avant. La souffrance devait disparaître pour que nous puissions retrouver, un tant soit peu, le climat dans lequel nous avions baigné avant Alain. Pour ne plus la ressentir, il fallait la ravaler et la repousser au fond, chaque fois qu'elle nous prenait à la gorge. C'est ainsi que, peu à peu, nous avons bâti un nouvel état, supportable, presque le bien-être. Notre petite fille avait recommencé à rire, elle ne parlait plus d'« Alain, mon p'tit frère ». Nous avions réussi à ensevelir une tranche de notre vie.

La ville se développait rapidement. Nous avons emménagé dans une maison qui nous convenait mieux et nous nous sommes impliqués davantage dans des projets communautaires. Tout cela créait une nouvelle énergie qui nous aida à surmonter notre deuil. Notre fillette grandissait seule, pourtant, et ce n'était pas ce que nous avions projeté. Il nous tardait d'agrandir notre famille. La vie entendit notre vœu puisqu'elle vint s'installer tout doucement en moi et nous donna une autre ravissante petite fille.

Tout de suite, elle a illuminé notre vie par sa beauté et sa tendresse. Son regard intense et profond, son délicieux sourire étaient un baume que nous goûtions avec reconnaissance. Nous l'adorions. Un garçon suivit, moins de deux ans après, plus blond que blond et d'un charme irrésistible. « C'est le plus beau bébé au monde! » s'écriaient ses sœurs, en extase devant lui! Les jeux, les rires et les comptines remplissaient nos moments libres. Nous nous sentions de nouveau comblés. Nos enfants furent élevés en sachant qu'ils avaient perdu un frère car, même absent, Alain demeurait un membre de la famille. Néanmoins, nous ne parlions jamais des faits qui avaient entouré sa naissance et sa mort.

Ce long détour par le passé me laisse le cœur lourd. J'ai terriblement mal. Qu'il serait bon de retrouver chaleur et lumière. Pourquoi se retirent-elles quand le cœur souffre? N'est-ce pas dans ces moments-là qu'elles sont le plus nécessaires? Aujourd'hui, je comprends, non sans un brin d'amertume, que la vie ne fait jamais d'arrêt pour nous donner le temps de digérer les coups durs et de surmonter les épreuves. Nous n'avons parfois pas d'autres choix que d'enfouir les traumatismes dans des coins sombres de notre être. Une question de survie, sans doute.

Cependant, les souffrances oubliées au fond de soi ne font que sommeiller. Un rien peut les faire sortir de leur assoupissement. À tout moment, les barrières peuvent s'écrouler, ouvrant un passage vers l'air libre. C'est sans doute pour cela qu'il faut s'affairer et se distraire de toutes sortes de façons afin de ne pas être surpris par leur réveil, dans un moment de détente ou d'inattention.

Est-ce cela, le cancer : de la culpabilité, des tourments, des deuils enterrés profondément dans l'espoir d'un oubli permanent... Est-ce réellement cela?

Je sais bien que tout ce que nous vivons est énergie : joies, peines, révolte, colère... Un nœud se crée chaque fois qu'une de ces énergies est retenue. Ce nœud la coince dans un barrage qui l'empêche de s'écouler, créant ainsi un malaise. Plus les nœuds s'accumulent, plus le malaise intérieur augmente. L'énergie ainsi emprisonnée se dégrade et finit par contaminer les endroits où elle s'est réfugiée. Exactement comme l'eau stagnante d'un étang devient propice à la formation de pollutions de toutes sortes.

Est-ce bien cela, la maladie?

Surtout, ne pas s'accabler de reproches. Il s'agit plutôt de comprendre pour apprendre. Je sais bien qu'un événement-choc peut paralyser l'expression d'une émotion trop vive. Comment pourrait-on s'exprimer quand on est en état de choc? Il suffit de l'avoir vécu pour comprendre qu'un stress violent gèle les réactions émotives. Cette anesthésie permet au corps de continuer à fonctionner. Se pourrait-il que le cancer soit la solution *in extremis* trouvée par l'âme pour soigner le ou les traumatismes demeurés enfouis dans le corps? L'âme ne s'incarne-t-elle pas dans le but d'exprimer sa véritable identité et d'acquérir ainsi la part de bonheur qui lui revient par son droit de naissance et son héritage divin? Peut-elle supporter longtemps d'être bâillonnée? Le cancer serait-il un ultime appel au secours pour réveiller la conscience? Ces questions me laissent pantelante.

31 mai – Les larmes déferlent encore, tantôt doucement, tantôt impétueusement. Mais je n'ai plus peur d'être emportée par la crue de mes peines. Je m'étonne même d'avoir pu les garder captives si longtemps. En m'offrant cette libération, le cancer ne devient-il pas mon allié?

La première fois qu'il est venu frapper à la porte de ma conscience, je n'ai pas compris qu'il portait un message de guérison. Je n'ai pas ouvert. Maintenant, n'est-il pas pressant d'en décoder le message, urgent même? Je ne peux plus le voir comme un ennemi mortel. Je commence à penser que lorsque le cancer nous barre la route, c'est qu'il y a déjà longtemps que nous avons immobilisé et endormi une partie de notre être en espérant faire disparaître ce qui nous tourmentait. Nous réussissons à entretenir l'illusion que nous sommes heureux, mais nous ne savons plus très bien ce qu'est le bonheur ou le bien-être. Nous avons perdu notre destination et nous errons sans but et meurtris, ne sachant plus comment donner un sens à notre vie.

Ces réflexions ont du poids. Mais elles me fatiguent et mon cerveau s'embrouille dès que je suis fatiguée, je l'ai remarqué. Je me fais une note mentale pour me rappeler mes découvertes de temps en temps, sinon je vais tout oublier et je n'aurai rien appris. Je passe le reste de la journée à me reposer, cherchant chaleur et douceur. Parfois, j'ai besoin de mettre mes bras autour de mes épaules pour me réconforter. Je me sens très seule. Pourtant, je n'appelle personne. Je reste là avec moi-même, habitant tout mon espace. Dire que je suis bien serait mentir. Je ne peux pas dire non plus que je suis mal. Un simple inconfort.

10

1er juin – Malgré l'espoir qu'il me donne, le processus de purification n'est pas de tout repos. Et quelle vulnérabilité! J'ai la larme sans cesse au coin de l'œil, souvent sans raison apparente. Je sais bien qu'il n'est plus question de refouler, quoique tout ce brassage d'émotions commence à m'incommoder sérieusement. Je décide de me confectionner une formule de fleurs du docteur Bach pour m'aider à calmer mon impatience et ma vulnérabilité. Du moins, c'est ce que j'espère.

2 juin – Rencontre avec la thérapeute de l'hôpital. – Je lui parle de mon désir de retomber sur mes deux pieds, tout de suite, d'être délivrée de l'inconfort qui m'habite. J'exprime ma fragilité et ma lassitude, de même que mon hésitation et mes doutes devant la nécessité de laisser remonter le passé. Je comprends que c'est une chance qui m'est offerte, mais n'y aurait-il pas une autre façon de guérir les expériences douloureuses de ma vie? Sa réponse est sans équivoque et d'une limpidité qui me laisse sans voix : «Vous devez vous libérer de toutes vos souffrances si vous voulez être délivrée du cancer. »

4 juin – Je me sens mieux aujourd'hui. Moins lourde. Moins émotive. Je souhaite bien fort que dure ce moment d'accalmie. J'ai le goût de préparer des sels et des huiles de bain aux essences que j'aime tant. Juste pour m'amuser et me griser de bonnes odeurs qui se répandent partout dans la maison et qui font du bien autant à l'âme qu'au corps.

5 juin – Rencontre avec C. – Je me branche sur ma respiration pour me remplir du souffle de vie. C'est une méditation profonde, une détente totale, un *rebirth*, pour tout dire. Soudain, mon cœur se met à vibrer par saccades, comme soulevé et secoué dans ma poitrine. Un déchirement me traverse de part en part, libérant des vagues de larmes. Mon ventre brûle comme s'il avait été ouvert au bistouri. La douleur monte des profondeurs et je suis incapable de l'arrêter. Je ne peux rien faire d'autre que la laisser s'écouler hors de mes cellules.

« J'ai l'impression de sortir du bloc opératoire. » C. se fait rassurant : « Tu es assez solide pour supporter ce genre de travail, me dit-il. — Je veux bien être opérée s'il le faut, mais il me semble que ce ne devrait pas être souffrant. N'est-ce pas suffisant d'avoir souffert une fois? » Il affirme que c'est le prix à payer pour ce genre d'intervention énergétique. Il me confie que les personnes atteintes de cancer ont besoin de passer par une purification intense, mais que la plupart n'acceptent le traitement qu'au compte-goutte, ce qui le rend parfois très long et en réduit l'efficacité. « Avec toi, cependant, c'est plutôt rapide; tu ne résistes pas. Au contraire, tu te laisses couler dans l'énergie. » Je désire si fort le rétablissement que je suis prête à tout.

Ce chemin n'a rien de facile. Qu'importe. Je ne peux plus me désister; j'ai passé le point de non-retour. Je ne sais pas exactement où tout cela me mène, mais j'y vais, poussée par quelque chose qui me dépasse. Je reste dans ma trajectoire et je poursuis ma route. Inéluctablement. Cette prise de conscience ramène le souvenir d'un rêve que j'ai fait quand j'avais 20 ans à peine. Rêve important, au point que je ne l'ai pas oublié, un rêve prophétique, je crois.

J'escalade une montagne immense et très haute. Au départ, je marchais sur un sentier large et en pente légère, bordé d'arbres et d'arbustes de toutes sortes. Maintenant, il n'y a plus de sentier; je grimpe à même le roc. La paroi à laquelle je m'accroche est lisse, d'un jaune ocre; je pose les pieds et les mains là où je peux. À mesure que je grimpe, elle devient de plus en plus abrupte et les fissures se font de plus en plus étroites, éloignées les unes des autres. Je dois continuer mon ascension sans regarder en arrière, sinon je risque de tomber. Le sommet est la seule issue possible, même si je ne le vois pas encore. Soudain, un chien surgit du vide. Il est blanc et noir, et ma présence semble le rendre furieux. Il aboie comme le font les chiens de garde. Il me mord le mollet droit à plusieurs reprises pour m'empêcher de continuer mon ascension. Impossible de m'en libérer, je cours le risque d'une chute mortelle. Ma situation est trop précaire pour que je m'arrête au chien qui continue de me mordre. Je décide donc de ne plus m'occuper de lui ni des morsures. Aussitôt, le chien disparaît. J'aperçois maintenant la pointe de la montagne en forme de pyramide. Plus j'avance, plus la paroi prend une couleur dorée. Je suis remplie d'un sentiment de grande fierté dès que j'atteins le sommet. La vue qui m'est offerte me surprend agréablement. Sur l'autre versant de la montagne, une pente très douce et large s'allonge à l'infini, dans une lumière brillante et bleutée, laissant deviner un paysage magnifique. Je m'y engage joyeusement.

Ce rêve m'a sûrement été donné pour me soutenir dans mon voyage terrestre. Il me démontre que je peux poursuivre ma route en toute confiance, malgré les obstacles. Me remémorer ce rêve, aujourd'hui, aiguillonne mon courage et me redonne confiance. Mon énergie s'en trouve fouettée. *Une seule issue… le sommet!* J'en profite pour me composer un mantra : calme! courage! succès! Rien de mieux pour dégonfler les peurs.

6 juin – Je constate que les malaises physiques ont diminué de plus de la moitié. Mon énergie n'est pas constante, mais elle revient, même si ce n'est encore que par à-coups. J'ai hâte de revenir à la normale. Toutefois, certaines défaillances me déroutent. Je suis devenue une fausse note dans le monde de la performance. Le cancer m'a détournée de ma route habituelle et m'a lancée sur une piste qui m'est étrangère. Un parcours où il m'est impossible de tout contrôler et où il me faut prendre le temps de prendre mon temps. Cet arrêt ne sera que temporaire, je l'espère, le temps qu'il faudra pour que le grand ménage intérieur soit terminé.

Poussée par je ne sais trop quelle force,
je m'obstine à poursuivre ma montée sans relâche.
Même si je sais que le sentier est encore bien long,
je peux m'offrir un brin de repos à l'occasion,
à l'ombre d'un arbre abritant une volée d'oiseaux
ou aux abords d'une source limpide et calme.
J'ai abandonné l'urgence d'arriver au plus vite.
J'ai compris que j'avais le temps nécessaire
et que la seule façon de garder le cap est de viser le sommet,
en imaginant la splendeur de la vue là-haut.
J'y arriverai, c'est certain.
J'ai cette assurance plantée dans mon âme
depuis des millénaires...

7 juin – Groupe d'entraide de l'hôpital. – M. est de retour, la tête enveloppée d'un foulard. Elle raconte son opération au cerveau. Après ce genre de récidive, elle ne peut que penser à la mort, dit-elle. Malgré la lassitude qui semble l'habiter, elle a encore de l'espoir puisqu'elle me demande où se procurer une certaine cure qu'elle désire entreprendre. J'admire son courage. Je ne vais pas à ce groupe pour faire la promotion de la médecine naturelle, mais je ne peux que me désoler du fait que la plupart des participants ne connaissent pas d'alternative aux traitements chimiques. Pire, ils les rejettent. Comme si nous avions quelque chose à perdre. Cela m'étonne toujours de découvrir la méfiance des personnes vis-à-vis des médecines naturelles. L'une de mes amies disait avoir peur d'être empoisonnée par des herbes. Pourtant, certaines sont utilisées depuis des siècles. C'est à peine croyable. Certes, il faut avoir recours à la médecine officielle chaque fois que cela s'impose ou lorsqu'il y a urgence. Mais l'efficacité de la médecine naturelle est réelle aussi, du moment que l'on prend soin de rechercher un traitement approprié auprès d'un thérapeute professionnel et compétent. Utiliser les deux, dans ce qu'elles ont de meilleur à offrir, s'avère à mon avis la façon la plus valable d'aborder un traitement, quel qu'il soit.

Ce soir, je relis l'histoire du docteur Edward Bach, un être exceptionnel, récipiendaire d'un prix Nobel pour ses découvertes médicales, découvertes utilisées encore de nos jours. Il trouvait anormal que les patients reviennent à son cabinet en proie aux mêmes maladies. Un jour, il a décidé de tout quitter pour aller étudier les plantes et les fleurs de la campagne anglaise. Elles lui ont appris que les malaises intérieurs, lorsqu'ils sont entretenus, se cristallisent dans les tissus créant ainsi des maladies. Il a laissé trente-huit remèdes à base d'essence de fleurs qui sont de plus en plus utilisés pour soigner les divers états d'âme d'une personne, au cours de sa vie. S'ils ne sont pas soignés, ils affaibliront son corps. Relire la vie de cet être extraordinaire me fait beaucoup de bien et soutient mon espoir. Je le constate encore une fois : la vie met sur mon chemin les personnes aptes à m'aider ou me fait trouver les livres écrits « juste pour moi ». C'est tout simplement inouï!

8 juin – Je n'ai plus mal aux jambes. Est-ce l'effet de la cure de détoxication ou de la combinaison des éléments thérapeutiques et des traitements en médecine énergétique? Quel soulagement!

9 juin – Rencontre avec C. – Il m'est devenu facile de relaxer complètement et rapidement. Je n'ai qu'à rester branchée sur ma respiration. C'est aussi la méditation la plus efficace que je connaisse. Je deviens le souffle. Je le laisse monter et descendre comme une vague qui me berce doucement. Ces moments d'une détente exquise, dans laquelle je m'enfonce, m'aident à restaurer mon âme autant qu'à régénérer mon corps.

10 juin – Aujourd'hui, E. S., une spécialiste des prothèses mammaires vient me rendre visite. Je reste sans voix devant la prothèse qu'elle me présente. Trop volumineuse et trop lourde. Le soutien-gorge adapté est trop large et surtout trop serré, à cause de l'enflure qui persiste sur ma poitrine. Un vrai carcan! Elle reviendra vendredi avec un attirail plus conforme à mes besoins, m'a-t-elle promis. Je ne veux surtout pas de ces soutiens-gorge qui emprisonnent la poitrine et compriment la respiration. Je suis habituée à quelque chose de léger. Et puis, je ne m'attendais pas au poids de la prothèse. Je reste coincée entre la résistance et la confusion. Au fond, je sais très bien pourquoi j'éprouve une telle désolation : me voici en deuil d'un morceau de mon corps et il me faut l'accepter. C'est encore difficile. Quand je regarde ma poitrine mutilée, la fameuse image de la femme idéale en prend un

coup. Malgré les raisonnements pourtant clairs que j'impose à mon « mental », je continue à me rebiffer comme une enfant entêtée. La santé, c'est bien plus important qu'un sein... Eh oui!

11 juin – J'ai acheté un babillard pour afficher mes rendez-vous. Les oublier devenait énervant. Hier, je suis arrivée chez le médecin à 10 h 30. L e rendez-vous était prévu pour la semaine dernière. Vais-je un jour retrouver toutes mes capacités? J'essaie de ne pas m'attarder à cette appréhension ni à toutes les autres qui envahissent mon esprit. Elles sont là pourtant et elles m'angoissent. J'essaie de les dissiper par crainte d'être totalement envahie. Tenaces, elles reviennent, comme reviennent les mouches que l'on chasse.

12 juin – Rencontre avec la thérapeute de l'hôpital. – Tout de suite, elle me demande de parler de mon enfance et de ma famille. Ma première réaction est de penser qu'il n'y a pas grand-chose à dire; il me semble avoir eu une enfance normale et sans problème, comme tout le monde, je suppose. Ce qui me revient instantanément à la mémoire, c'est la mer, l'air salin, le vent, les banquises, les nuages, le sable, les algues, les goélands, les petites cailloux, les grosses vagues, l'odeur du foin, maman au poêle, remuant la soupe...

La thérapeute m'invite à m'arrêter sur tout cela. Elle insiste : je dois prendre tout le temps nécessaire pour intégrer la souffrance des nombreuses pertes que j'ai vécues. « Il y en a beaucoup et ce pourrait être long », dit-elle. Pourquoi faudrait-il que ce soit long? Pourquoi cela doit-il être pénible? Ce n'est pas très encourageant. Surtout quand on a l'habitude de tout régler rapidement. De nouveau, tout s'emmêle dans ma tête. Je ne sais plus si j'avance ou si je perds du terrain. J'avoue très franchement que j'ai le goût de tout laisser tomber et d'arrêter ce brassage d'émotions. J'en ai marre des hauts et des bas. Surtout que je n'ai aucune garantie que cette écoute des profondeurs de mon être m'éloignera des griffes du cancer pour de bon. Je suis fatiguée de ce processus. J'en ai ras-le-bol!

Ce soir, je me sens si désorientée. Je ne peux plus tolérer ce mal-être. Les malaises, tant physiques que psychiques, perdurent alors que je voudrais tant me sentir mieux. Pas demain ou dans un mois, maintenant! Je n'en peux plus de me sentir mal. Je ne sais plus quoi faire pour être bien et je ne peux plus contenir mon impatience. Je constate, hélas, que je fais encore du surplace, chaque journée semble être une répétition de la précédente. Je n'avance pas. Comment se fait-il que je sois incapable de donner une nouvelle tournure à ma vie? Je trouve cela difficile à accepter.

En outre, je suis tourmentée par toutes sortes de craintes, de doutes et d'inquiétudes difficiles à repousser, malgré mes efforts. Et toutes ces questions qui reviennent sans cesse hanter mon esprit : pourquoi le cancer? Va-t-il revenir, va-t-il me gruger lentement, morceau par morceau, comme il l'a fait pour ma sœur infirme? Qu'est-ce qui a fait échouer mon programme de prévention? Pourquoi n'y a-t-il pas de réponses à mes questions? Parce que je ne regarde pas dans la bonne direction? Parce que j'ai l'esprit bouché? Ai-je manqué le bateau? Où? Quand? Comment? Plus je veux savoir et moins je sais. Quoi de plus contrariant! Et je suis si fatiguée... à ne rien faire. Surtout, je suis rongée par la culpabilité. Comme si je l'avais tricoté consciemment, ce cancer, maille après maille. Voilà la vérité. Le problème, c'est que je ne sais pas comment faire cesser ce carnage. Je suis pourtant une bonne personne, je le sais. Je ne suis pas parfaite, je le sais aussi. J'ai fait ce que j'avais à faire, du mieux que je le pouvais. Alors?

Holà! le cancer n'est pas une punition.

M'apitoyer sur moi-même et pleurer ne m'aident pas et ne font qu'affaiblir mon système immunitaire. Je dois plutôt le protéger et le renforcer. Je dois me calmer et retrouver la paix. C'est ce que j'ai à faire, maintenant. Respirer profondément pour emplir mes poumons et laisser sortir l'air complètement, comme à travers une paille : inspirer l'énergie, expirer la fatigue; inspirer le calme, expirer la panique; inspirer dans le cœur et souffler sur les nuages gris de mon « mental ». Écouter la respiration de la vie en moi, me laisser porter par la vague de mon souffle, comme sur la mer; une vague de calme et de paix qui m'enveloppe et me berce tout doucement. C'est si simple.

Dans le calme et dans la confiance, je trouve ma force.

13 juin – La sensation de brûlure sur ma poitrine et sous le bras diminue et les cicatrices me font moins souffrir. Enfin! En revanche, je suis en panne d'énergie. J'en ai du mal à avancer. Parler me demande même un effort, je n'ai plus de conversation. Faut-il que je cesse de parler,

que je ne fasse plus rien, que je m'arrête totalement? C'est affolant. De toute façon, quoi que je fasse, j'ai l'impression de tourner en rond. Je fonctionnais si efficacement, il y a quelques mois à peine. Je faisais tout rapidement. Je crois que j'ai toujours été une personne active, pratique et compétente. Efficace, quoi! Ça ne marche plus et je ne m'habitue pas à ce nouvel état. Je n'aime pas ce que je suis devenue. La thérapeute me rappelle encore que j'ai subi un gros choc, physique et psychique. « Ce n'est pas une petite blessure », s'acharne-t-elle à me répéter. Si seulement je parvenais à m'arrêter, comme elle me le suggère souvent. Mon corps le veut, il l'exige, mais dans ma tête, c'est encore et sans cesse la frénésie. Il me semble que j'ai toujours beaucoup à faire : les groupes, les thérapeutes, Copain, l'épicerie, les factures à payer, le ménage, etc. Avant l'opération, je fonctionnais bien, malgré les imprévus de la vie, et j'étais rarement en panne d'énergie, au contraire. Maintenant que je ne travaille pas, j'ai du mal à gérer ce qu'est devenu mon quotidien même s'il ne représente plus que le dixième de ce j'accomplissais avant. Je me sens diminuée, en perte de quelque chose qui m'échappe.

Que de plaintes…

Si mon entourage avait accès à tout ce que j'écris, je passerais pour la plus grande geignarde de la terre! Au moins, quand j'écris, toutes ces jérémiades sortent de moi au lieu d'y rester enfermées. Alors, je continue. J'oublie encore où j'ai déposé la tasse de tisane que je viens de me préparer. Me concentrer pour retenir ce que je viens de lire me fatigue et me donne mal à la tête; on dirait que c'est un effort trop grand pour les neurones de mon cerveau et il me faut sans cesse relire les mêmes livres. Est-ce que je vais rester dans cet état? Je m'inquiète, je panique même. « C'est le choc post-opératoire », dit le docteur. « Soyez patiente », me recommande la thérapeute. Mais moi, je commence à trouver le temps long.

Qu'est-ce que ce serait s'il me fallait en plus aller travailler? Au premier cancer, j'ai eu tout juste un mois d'arrêt pour me rétablir. Une convalescence à peine amorcée. Il fallait faire vite, car je n'avais pas les avantages d'une assurance-salaire comme maintenant. Quel cauchemar! Pas surprenant que je n'aie pu régler quoi que ce soit. Je n'ai même pas eu le temps de soulever une question sur la signification de ce cancer. Cette fois-ci, j'ai la chance de rester à la maison pour profiter de ma convalescence au maximum. Non seulement pour me remettre du choc de Cancer 2, mais pour me remettre du cancer tout court. La vie semble prendre les grands moyens pour me forcer à tout arrêter, absolument tout. Pour m'obliger à ne m'occuper que de ma guérison. C'est pourtant simple. Aurais-je la tête dure? C'est plutôt la super-femme qui imagine un chaos total si elle s'arrêtait un petit bout de temps pour ne s'occuper que d'elle. Hum...

Le problème, c'est que je ne sais pas ou, plutôt, je ne sais plus comment guérir. Je crains de ne pas réussir. J'ai du mal à comprendre le processus de guérison et même à y croire tout à fait. Ce qui me désoriente, c'est que je n'ai aucune assurance de succès, pas la moindre certitude. Comment savoir ce qu'il faut pour réussir puisque je n'ai aucune garantie sur les résultats de l'entreprise? Cette incertitude me fait craindre pour ma guérison. Je ne m'habitue pas à l'idée de ne pas savoir et je me laisse facilement envahir par la crainte et la confusion quand je ne sais pas. Cette hantise de la guérison à tout prix m'exaspère à la fin. Peut-on sérieusement se rétablir quand on est désorientée, en état de panique?

Guérir d'abord la panique...

Bien sûr, mais comment? Je sais que mon angoisse provient de l'insécurité profonde qui m'habite. Il y a des jours pourtant où je ne la ressens pas. Serait-ce qu'elle ne fait plus partie de moi? J'en doute. L'insécurité fait irruption lorsque rien d'autre n'accapare mon esprit, la panique s'ensuit aussitôt. Ah! et puis je m'en fous...

Ces turbulences intérieures m'affligent autant que les souffrances physiques. Le chemin est difficile, mais un jour je serai bien, je me le promets. Surtout, ne jamais perdre espoir. Garder à l'esprit cette conviction que c'est dans les difficultés que l'âme se fortifie et grandit; la croissance s'arrête quand la vie demeure au beau fixe. Paraît-il...

Est-ce à dire que ça ne va pas, quand ça va?

Il me faut voir les choses telles qu'elles sont et cesser de m'inquiéter. Physiquement, mon corps est occupé à réparer les fibres endommagées et à réorganiser mon système immunitaire. Je dois l'aider dans ce travail et, chanceuse que je suis, je sais comment! Mentalement, le déséquilibre entraîne l'agitation de mes pensées, mais ce tourbillon finira par s'arrêter. Pour le moment, l'onde de choc se fait encore sentir. C'est une question de temps. Spirituellement, je ne sais plus très bien où j'en suis. J'ai l'impression d'être dépossédée de toutes mes certitudes, de toutes mes croyances et même, je le confesse, de tout espoir de guérison. Pour être totalement franche, je me sens dépouillée de moi-même. Est-ce si difficile de m'accepter comme je suis, de comprendre que je n'ai pas besoin d'être parfaite ni d'en faire une obsession? Je commence à voir ce que j'ai à faire : le deuil de la super-femme.

Voilà qui est vite dit! Ce n'est pas parce que je vois mieux les choses que s'envoleront par magie les angoisses et les incertitudes et que je retrouverai confiance en moi. Je ne suis qu'au point de départ. Au lieu de déplorer l'imperfection, selon mon habitude, je vais viser l'amélioration, seulement l'amélioration, un pas à la fois. Déjà, je me sens plus légère, comme si je m'étais délestée d'un poids.

Bon signe.

11

14 juin – En m'éveillant ce matin, des tas de souvenirs de mon enfance me sont revenus. Comme ça, sans que je les provoque ou que je les attire. Ils semblaient réfugiés derrière mes paupières, en attente de mon réveil. La thérapeute en a demandé? Eh bien, j'en aurai une bonne poignée à lui apporter!

Souvenirs de papa trimant dur sur la ferme, de maman dans son grand jardin, de ma sœur infirme qui était sa croix. Souvenirs aussi de mes peurs, la nuit. Je restais éveillée pendant des heures à écouter le bruit des vagues se fracassant sur les rochers si proches de la maison. J'imaginais qu'elles finiraient par l'emporter dans le reflux de la marée, comme dans les histoires de maman, quand elle racontait les grandes tempêtes de la mer. Je me rappelle aussi le petit agneau qui venait de naître, l'odeur de la terre au printemps et celle des champs de foin. Comment ne pas me souvenir aussi du fumet qui se répandait dans la maison, nous mettant l'eau à la bouche, quand maman faisait son fameux cipâte et les tartes au sucre dont elle avait le secret? Je berçais ma sœur bébé en regardant maman rouler la pâte. Je me rappelle mon frère, qui allait tous les jours pêcher la truite dans le ruisseau et qui comptabilisait ses prises dans un petit calepin noir. Je revois le moine quêteux qui m'avait demandé l'aumône « pour l'amour de Dieu » et à qui j'avais donné un œuf parce que je n'avais pas d'argent. Je me souviens encore aujourd'hui de son sourire et de mon bonheur d'avoir pu répondre à sa demande, alors que je me trouvais seule à la maison. Et l'aveugle, ami de mes parents, qui me berçait sur la galerie… Oui, je m'en souviens : je chantais à tue-tête. Je me rappelle la grève, l'eau froide de la mer, les petits cailloux avec lesquels je me suis tant amusée et les moules que maman nous envoyait ramasser à pleins seaux. Ah! oui, je me souviens…

Pieds nus dans le sable chaud qui chatouille les orteils,
je cours sur la grève,
traînant une longue algue marine
que les cailloux et les coquilles ouvertes déchirent au passage.
Des courants d'air frais se promènent dans mes cheveux.
Le soleil étale sa chaleur sur ma peau
et met plein de lumière dans les vagues de la mer.
Je chante dans le vent et je ris dans le soleil.
Je ris et je chante avec la mer, avec les rayons du soleil.

Espace, mouvement, liberté.

Je me laisse tomber sur le sable aux grains multicolores
qui scintillent au soleil.
Étendue de tout mon long,
j'écoute les coups rapides dans ma poitrine.
Un goéland passe juste au-dessus de moi.
Son cri se répercute dans mes fibres.
Je ressens le mouvement de ses ailes gracieuses
dans mes petits bras qui, spontanément,
esquissent le même mouvement.
L'oiseau ralentit la cadence de ses ailes, sort ses pattes,
et je me sens atterrir en douceur avec lui.

Joie! Émerveillement!

Je me roule dans l'herbe tendre du printemps,
pour le plaisir de voir tourner avec moi les gros nuages blancs.
Roule, mon corps, roulent et roulent mes éclats de rire.
Je m'arrête à plat ventre, un brin d'herbe sous le nez.
Qu'est-ce qui le fait sortir de terre?
D'un doigt, je creuse, j'essaie de voir
jusqu'où ses petits pieds sont plantés dans la terre,
la terre chaude comme le ventre de maman,
la terre qui sent si bon.
Et j'ai la sensation d'être comme le petit brin d'herbe,
plantée dans la terre moi aussi.

Que le froid est bon sur mon visage,
quand il fait pétiller la peau de mes joues.
Je mange de la neige à pleine bouche,
moelleuse et couverte de reflets de lumière,
la neige qui fond comme une sucrerie dans ma bouche.
Je sens mon corps tout chaud,
bien à l'abri dans mes vêtements d'hiver.
J'attends impatiemment pour glisser avec mes frères;
ils m'ont promis un tour dans leur traîneau.
Je veux glisser comme eux,
avoir du plaisir comme eux,
moi aussi! moi aussi! comme eux...

Chute, cris, pleurs.

Je suis dans un grand lit blanc,
une jambe toute enveloppée jusqu'à la hanche,
avec des choses au bout qui pèsent et qui tirent.
Je ne peux ni m'asseoir ni me lever,
je ne peux que bouger la tête, les bras et les yeux.
Maman et papa m'ont laissée ici.
Ils ont dit qu'ils viendraient me chercher
quand ma jambe sera guérie.
En attendant, je dois être une grande fille raisonnable.
Je ne veux pas avoir mal! je ne veux pas être ici!

Non! non!

J'ai froid, j'ai peur.
Il n'y a pas d'autre enfant dans la grande chambre,
seulement des dames qui racontent des histoires
que je ne comprends pas.
Elles ne semblent pas contentes que je sois là.
Elles me font souvent de gros yeux.
Elles me disent : « Ferme tes oreilles! »,
« Regarde ailleurs! »

Ça fait des nœuds et des boules, en dedans.
C'est tout serré et ça tremble partout jusque dans ma gorge.
Mais je dois être une grande fille raisonnable.

J'ai quatre ans.

De retour à la maison, je restais près de maman puisque je marchais difficilement. Elle m'installait sur la galerie, avant de partir pour la traite des vaches ou pour d'autres travaux de la ferme. Elle envoyait mes frères chercher des bouts d'algues sèches sur la grève et des petits cailloux pour que je puisse m'amuser. Elle leur demandait de veiller sur moi. Dès qu'elle avait tourné le dos, ils s'en moquaient bien, trop heureux d'aller jouer sur la grève ou dans les champs. Je pleurais de les voir partir; je criais à m'arracher les poumons et les oreilles parce qu'ils me laissaient seule. Un jour, le docteur est venu à la maison. « Elle est trop petite, trop délicate pour des béquilles », a-t-il dit. Il a ajouté d'un ton grave : « Elle ne marchera plus normalement. » J'ai regardé maman qui n'a rien répondu. Je ne savais pas au juste ce que cela voulait dire. Je savais seulement que je marcherais. Après tout, j'étais une grande fille, j'avais cinq ans. Souvent, maman plaçait une chaise devant moi, je m'agrippais au dossier et je poussais la chaise, m'en servant comme d'une marchette. Quand elle allait travailler, j'en profitais pour m'exercer sur la galerie, en pensant à la surprise que je lui ferais.

Un jour, j'ai eu envie de ne plus m'accrocher à la rampe de la galerie. J'ai retiré ma main et j'ai constaté que je ne tombais pas. Je pouvais donc marcher sans appui! Je n'osais pas encore aller vis-à-vis de l'escalier et traverser de l'autre côté. Il n'y avait plus rien à quoi m'accrocher et ce vide m'effrayait. Je me contentais donc de marcher d'un seul côté de la galerie. Jusqu'au jour où je me suis sentie assez audacieuse pour traverser l'espace vide. Je me rappelle si bien les coups rapides dans ma poitrine et mon sentiment d'exaltation. Quelle fierté! J'avais hâte que maman voie mon succès. Je l'ai vue venir de son pas fatigué, portant deux gros seaux de lait. Je me souviens encore de la chaleur sur mes joues. Je riais d'avance. Dès qu'elle a été près de moi, j'ai dit : « Regarde, je marche! » Elle a regardé, mais sans s'arrêter. J'ai senti une grosse boule tomber dans ma poitrine. Aujourd'hui, je comprends qu'elle ne pouvait pas s'arrêter avec le poids des seaux qui lui arrachaient les épaules.

Le drame de l'enfant, c'est qu'il ne peut comprendre la réalité de ses parents et que la sienne leur échappe...

J'aimerais mieux ne plus me souvenir. À quoi bon toutes ces réminiscences? Mais elles arrivent, drues, et malgré moi. Par exemple, ma frayeur du noir quand maman m'envoyait me coucher. Un noir si épais, si étouffant. Et le bruit des vagues qui frappaient toujours si dangereusement près de la maison. J'imaginais le pire. Dès que j'étais couchée, j'appelais maman, je lui demandais ce qu'elle faisait. C'était bien plus pour m'assurer qu'elle était là, pour entendre sa voix, une voix qui restait calme, malgré la répétition de mes appels. Elle répondait qu'elle cousait ou qu'elle tricotait et elle m'invitait à faire « un beau dodo ».

Je ne voulais pas grandir, devenir une femme comme ma mère. Elle ne semblait pas toujours heureuse. Surtout quand il faisait tempête et qu'elle guettait le retour de papa. Je sentais bien qu'elle s'inquiétait pour lui. Je me revois tout contre elle devant la fenêtre, fixant l'épaisse poudrerie blanche qui tourbillonnait en rafales. Les sifflements du vent me donnaient la chair de poule. J'étais hypnotisée par cette blancheur impénétrable qui englobait toute chose. Blottie contre elle, je me laissais envahir par une angoisse qui accélérait ma respiration. Je captais toutes les peurs de ma mère : peur que papa s'égare à cause de la poudrerie, peur que la neige les ensevelisse, lui et son cheval. Le temps restait suspendu jusqu'à ce qu'il entre dans la maison, à moitié gelé.

Plus je voulais m'arrêter de grandir, plus je grandissais. Je me souviens si bien du jour où j'ai compris que grandir se faisait malgré moi. Je me sentais prise au piège. Et je grandissais dans cette angoisse torturante. J'aurais voulu en parler à maman, mais comment dire ces choses? Je ne connaissais pas les mots pour expliquer ce que je ressentais. De toute façon, elle dirait tout de suite : « Ça va passer » ou bien : « Tu comprendras plus tard. » J'étais impatiente que ça passe. J'aurais voulu comprendre tout de suite.

Tout comme aujourd'hui...

Souvent, je sentais mon cœur trembler et flotter dans ma gorge, comme s'il s'y était réfugié. J'en éprouvais un malaise que j'étais incapable de nommer. Je ne savais pas que c'était mon cœur qui remuait ainsi dans ma gorge. Je ne savais même pas que j'en avais un, encore moins ce qu'était un cœur. Comment aurais-je pu en parler? Je restais donc ainsi, avec mon malaise. Avec mon angoisse. Avec mon insécurité. Subtilement, la panique s'installait dans mes cellules.

Je détestais l'école, sauf quand G. enseignait. Avec elle, je n'avais pas l'impression d'être à l'école tant la vie était agréable. Avec les religieuses, c'était bien différent. Elles nous forçaient à aller nous confesser. Je devais inventer des péchés, tout en comprenant que c'était ça, le péché, et chaque fois j'avais l'impression d'être fautive. Je croyais que je n'étais pas normale. Tout semblait si facile pour les autres enfants. J'aurais tant aimé rester à la maison et que maman m'enseigne. Elle savait enseigner et, surtout, elle n'était pas sévère. Je ne me souviens pas l'avoir entendu élever la voix une seule fois.

Il y avait plein de rires dans la maison, avec mes sœurs et mes frères. Nous nous entendions bien, de sorte que mes parents n'avaient pas à sévir. Du moins, c'est ainsi que je me rappelle ces années-là. Je me souviens aussi du journal que nous recevions, le samedi. Chacun voulait être le premier à lire la page des bandes dessinées. Quand mon tour arrivait, je lisais absolument tout et, quand la famille l'avait lu, je découpais les photos d'enfants, de musiciens, de danseuses, sans oublier celles des quintuplées Dionne. Et je passais des heures à regarder ces coupures de journaux que je conservais dans une boîte en carton.

Mes parents aimaient recevoir leurs amis à la maison, pour jouer aux cartes ou pour danser parfois, surtout dans le temps du jour de l'An. Ils avaient un plaisir fou. J'aimais rester un peu à l'écart pour saisir ce qu'ils se racontaient et ce qui les faisait rire autant. Les adultes m'impressionnaient; j'observais beaucoup leur comportement. Mon père aimait parler politique; il écoutait les discours à la radio et s'enflammait pour les orateurs. Il me semble qu'il y avait beaucoup de discours politiques en ce temps-là. Les campagnes électorales étaient très différentes de celles d'aujourd'hui. Je me souviens de quelques orateurs particulièrement doués qui soulevaient l'enthousiasme de leur assistance. Comme papa, j'aimais les écouter à la radio et me laisser envahir par l'énergie que provoquait leur éloquence. Par contre, je n'aimais pas entendre les sermons à l'église. Plus souvent qu'autrement, le prêtre parlait de catastrophes, de calamités, de la mort qui venait pendant le sommeil et de toutes sortes de châtiments possibles à cause de nos innombrables péchés. Il prêchait d'une voix retentissante et théâtrale. J'en étais tellement effrayée que je devais me retenir pour ne pas pleurer. J'ai quelques fois surpris un rictus au coin des lèvres de mon père. Je l'ai déjà vu aussi, à l'occasion, jeter un regard amusé vers ma mère qui, elle, ne semblait pas trouver drôles les propos du curé.

Le dimanche après le dîner, maman cuisait du sucre à la crème. Ça sentait bon dans toute la maison. Hélas! je ne l'ai jamais aussi bien réussi. Souvent, elle « touchait le piano » et papa chantait de sa voix riche et fière. Il se tenait debout près d'elle, un bras appuyé sur l'instrument. Des étincelles pétillaient dans ses yeux. Il aimait chanter les chansons de sa jeunesse : romantiques, poétiques, pleines de tendresse. Nous adorions ces doux moments. Parfois, maman chantait en s'accompagnant. Oh, elle chante en moi, maintenant... Je ferme les yeux et je me laisse bercer par ce tendre souvenir:

> Quand nous étions petits
> Nous avons fait des songes
> Adorables mensonges
> Depuis longtemps partis
> Dans la douceur du lit
> Où descendaient des anges
> Des musiques étranges
> Nous endormaient la nuit

> Mais le plus joli rêve
> C'est le rêve d'amour
> Que l'on fait sur la grève
> À l'heure où meurt le jour
> Une voix enivrante
> Monte du flot berceur
> Et s'unit caressante
> À la chanson du cœur...

12

16 juin – E.S. revient en fin d'après-midi pour un autre essayage. Enfin, un soutien-gorge léger et qui me va mieux. Mais les attaches sont placées en avant : quatre boutons... La logique de la chose m'échappe totalement. De plus, je trouve la prothèse lourde et encombrante. Aimable et patiente malgré mes jérémiades, elle me conseille de m'y habituer progressivement. Elle m'assure que je ne la sentirai presque plus d'ici quelques jours. L'avantage, c'est que je n'ai plus l'air amputée et surtout que je peux m'habiller comme avant. Je me regarde un long moment, avec mon sein en silicone. Quand je l'enlève, le creux et la grande cicatrice sautent aux yeux d'une façon encore plus percutante.

17 juin – Je suis toujours à bout de souffle, même si j'ai réduit mon train-train quotidien. Moi qui avais l'habitude de fonctionner à plein régime... Je ne suis plus dans la course et c'est très inconfortable. J'essaie bien d'accélérer mon rythme, mais un rien me fatigue. Il y a tant de choses que j'aimerais faire, au lieu de passer mon temps à des activités qui m'épuisent. Mon esprit est encore presque toujours en accéléré, contrairement à mon corps. Qu'est-ce que ce serait si mon « mental » se mettait lui aussi au ralenti! Je n'ose y penser.

18 juin, 8 heures. – Rendez-vous à l'hôpital pour des examens. – Aussitôt revenue, j'enlève soutien-gorge et prothèse. Cette chose est un véritable étau aujourd'hui, pas confortable du tout. Avec la chaleur humide, les cicatrices s'irritent plus facilement et l'enflure est plus prononcée. Il faudra me procurer un soutien-gorge plus grand pour

empêcher la prothèse d'écraser les cicatrices, les jours d'enflure. En attendant, j'en mets un plus léger, que j'utilisais avant l'opération, et dans lequel je place la prothèse en espérant qu'elle tienne. Elle se retrouve par terre dès que je me penche un peu vers l'avant. Méchante prothèse...

11 h – Rencontre avec C. – Je relate l'incident de ce matin. En me lavant les cheveux dans la douche, j'ai soudainement ressenti une sensation de brûlure intense dans la gorge. Comme si on me la tranchait d'un bord à l'autre. J'ai sauté hors de la douche pour prendre un verre d'eau, espérant ainsi calmer la douleur cuisante. La sensation d'entaille vive a duré des heures. Je n'ai pas aimé, mais pas du tout! « Cela ne me surprend pas », dit C. Il m'explique que le travail d'épuration que nous faisons peut produire toutes sortes de symptômes.

Mais si ça revient, il faudra faire vérifier, au cas où...

Dès qu'il pose les mains sur moi, un bouillonnement d'énergie se fait sentir justement au niveau de la gorge. C'est relié sans doute à ce qui s'est passé dans la douche, ce matin. Par moments, je suis secouée de tremblements. Ces manifestations énergétiques me laissent perplexe. Une légère anxiété m'envahit, tandis que ma mémoire cellulaire efface le temps et me ramène, instantanément, dans une tranche de ma vie que je croyais scellée dans l'oubli. À l'évidence, mon corps n'a rien oublié et n'aspire plus qu'à expulser les énergies stagnantes du passé. Je me revois donc dans une chambre d'hôpital, avec la menace de perdre la vie que je porte depuis cinq mois. « Petit Martin », c'est ainsi que j'appelais cette nouvelle vie en moi.

Les douleurs longues et lancinantes ont débuté la veille, me laissant présager le pire. Recroquevillée en boule, je garde les mains sur mon ventre, totalement centrée sur les ondes d'amour que j'essaie de transmettre à mon tout-petit pour lui faire sentir que je suis toute là pour lui. Seuls les pas des infirmières dans le couloir et le tic tac d'une horloge sur le mur brisent le silence de cette longue nuit. Je berce mon corps dans le lit, dans un ultime effort pour secourir et réconforter cette vie en danger qui souffre en moi. Je crains pour lui. Je voudrais tellement faire plus. Tout au moins l'assurer de ma communion intime avec lui. Au petit matin les douleurs s'affaiblissent, puis finalement disparaissent. J'ai l'accablante impression qu'il a fini de mourir.

J'ouvre les yeux. C. est à mes côtés et me regarde longuement comme s'il devinait ce qui vient de se passer en moi. Mon visage est mouillé mais je ne pleure plus. Mon corps est à nouveau calme. Je m'assois pour boire la boisson chaude qu'il m'a préparée. À travers les petites gorgées, je lui raconte le déroulement des événements.

Le médecin n'a pas voulu faire un curetage tout de suite. Il croyait que la nature suivrait son cours normal et que j'expulserais sans peine le fœtus mort. Mais mon ventre refusait d'évacuer cette vie pourtant perdue à jamais. Pourquoi gardait-il le petit corps qui avait cessé de bouger? Plus les jours passaient et plus il devenait une menace pour ma santé. J'avais l'impression de porter la mort et j'en étais épouvantée. Mon médecin refusait maintenant de faire le curetage, à cause du risque créé par l'absence de banque de sang dans notre petite ville en croissance. Finalement, j'ai cédé à ses pressions, et à celles de mon mari, et je me suis rendue dans un autre hôpital. Il y connaissait un très bon chirurgien, disait-il, il avait déjà communiqué avec lui. Cependant, à la dernière minute, on nous annonça qu'il faudrait nous en remettre à son remplaçant, le chirurgien avait dû s'absenter pour une urgence. « Il faut y aller malgré tout », insistèrent le docteur et mon conjoint. Il était, en effet, pressant d'enlever la mort prisonnière de mon ventre depuis plusieurs semaines déjà. Bon sang, que je ne voulais pas y aller! Comme si j'avais su au fond de moi le désastre qui m'attendait.

Après l'intervention, le chirurgien me recommanda de ne pas bouger. J'avais perdu beaucoup de sang. Comme il s'absentait pour la fin de semaine, il m'annonça qu'il avait signé mon congé pour le lendemain et que, d'ici là, le médecin de garde le remplacerait. Deux ou trois heures plus tard, des contractions utérines ont commencé et se sont intensifiées rapidement. Selon une infirmière, un caillot s'était formé dans mon utérus qui n'arrivait pas à l'expulser. Au cours de la soirée, les contractions sont devenues plus fortes encore, semblables à celles d'un accouchement. Je n'y comprenais rien. Je demandais des explications, mais en vain. J'imagine qu'on ne savait pas trop quoi répondre. On me donna un médicament quelconque qui resta sans effet. La nuit prit des allures de cauchemar. Ces damnées crampes persistaient et j'en étais pliée en deux par moments. Je n'ai pas fermé l'œil de la nuit. Au matin, les contractions cessèrent soudainement.

Malgré une nuit longue et pénible, aucun médecin n'avait été appelé pour m'examiner. Plus le temps passait, moins je me sentais en sécurité. J'avais hâte que mon mari arrive pour me ramener à la maison. Les infirmières hésitaient à me laisser partir, elles m'assuraient que je pouvais rester à l'hôpital même si mon congé avait été signé. Devant mon désir de m'en aller aussitôt que possible, l'infirmière chef décida d'appeler le médecin de garde pour qu'il vienne m'examiner et s'assurer que je pouvais partir. Il lui dit de me laisser sortir puisque les contractions n'avaient pas repris. Au moment où j'allais partir, l'infirmière me glissa des comprimés dans la main, me recommandant de les prendre si je ne me sentais pas bien pendant le voyage. Les autres infirmières se tenaient en retrait et me regardaient m'en aller en silence. Mystifiée par ce comportement, j'avais de plus en plus hâte de quitter les lieux pour me retrouver chez moi, où je pourrais recourir à mon médecin, si besoin était. En arrivant à la maison, je me suis couchée presque tout de suite, malgré ma joie de retrouver mes enfants. Au matin, je me suis éveillée en hémorragie, les contractions avaient repris de plus belle.

À l'hôpital, où mon mari m'avait amenée à toute vitesse, le docteur dit n'y rien comprendre. Il ne cessait de demander ce qui s'était passé à l'autre hôpital. Comment l'aurais-je su puisque j'étais sous anesthésie? Une infirmière vint m'assister et à ma grande stupéfaction, en peu de temps, j'ai accouché du fœtus mort. « Mais qu'est-ce qu'ils vous ont fait », répétait le docteur, en se tenant la tête à deux mains. Il s'en voulait de m'avoir envoyée ailleurs. Nous étions tous conscients de la gravité de la situation à mesure que la réalité s'imposait. J'avais bel et bien été au bloc opératoire pendant « plus de deux heures », avaient-ils dit. Sauf que le travail n'avait pas été fait! Comment cela était-il possible? Que m'avaient fait ces criminels? La rage montait en moi, au fur à mesure que je prenais conscience du danger que j'avais couru. J'aurais pu mourir en route en me vidant de mon sang, sans que personne ne puisse me sauver! Je comprenais maintenant le comportement étrange des infirmières. Ma colère était d'autant plus grande qu'elles n'avaient rien dit malgré mes questions.

Après le départ de mon mari, on me laissa seule pour que je puisse récupérer. Mais malgré l'épuisement, j'étais incapable de faire taire le vacarme de ma révolte. Je voyais bien qu'on avait mis ma vie en péril.

Je me sentais blessée jusqu'au plus profond de mon être. J'ai le souvenir intact d'un crucifix sur le mur, devant moi. Mon esprit survolté me renvoyait l'image du Crucifié qui me fixait des yeux comme pour me narguer. Je me suis mise à l'injurier à haute voix, lui attribuant la responsabilité de tout. « Pourquoi permets-tu ces choses? Pourquoi as-tu laissé des mains criminelles jouer avec ma vie. Pourquoi, pourquoi? »

C. se dit ému devant le processus de ma guérison. La brûlure purificatrice est sans doute apparue pour dissoudre cette vieille blessure, si profondément enfouie dans mes cellules. Je me demande si ce nettoyage aurait été possible sans un deuxième cancer. J'en doute de plus en plus.

Je marche dans le vent avant de reprendre la route pour rentrer chez moi. Je me grise de cet air frais qui me fait l'effet d'un massage apaisant sur mon visage. Je commence à comprendre que la vie ne me lâchera pas tant que mon être n'aura pas été remué en tous sens par les rafales d'un vent libérateur. Oui, le grand vent du large emportera une à une les douleurs encore emprisonnées dans mes tissus. Il soufflera, je le pressens, tant que le grand ménage ne sera pas terminé. J'en ai maintenant la tranquille certitude. De retour à la maison, j'allume une bougie et je m'étends dans le grand fauteuil, Copain à mes côtés. Quel calme chez moi! Je ferme les yeux pour mieux le goûter. J'ai l'impression d'habiter complètement le silence paisible qui m'enveloppe. Je me sens tout à fait bien dans cette totalité d'être où je trouve une force réconfortante.

Cet après-midi, je reçois la visite de ma fille aînée. Encore sous l'effet de l'expérience du matin, je lui raconte tout. Elle n'en revient pas de cet épisode de ma vie. Elle trouve que j'ai de la chance maintenant d'avoir sur ma route C. et la thérapeute de l'hôpital. Je n'ai pas toujours été si bien entourée, il est vrai. Depuis un certain temps, toutefois, les personnes dont j'ai besoin se trouvent sur mon chemin. J'en remercie la vie.

21 juin – Je suis épuisée. C'est sûrement l'effet du traitement d'hier. Le travail de purification consomme beaucoup d'énergie, je le constate encore une fois. Je décide de faire confiance à mon corps, car il sait

très bien ce dont il est capable. Je n'ai qu'à l'assister le mieux possible. Alors que je me laisse aller dans une légère somnolence, la mémoire de mon corps me ramène au dénouement de l'épisode « Petit Martin ».

Lorsque je fus suffisamment remise du choc, mon médecin me demanda de mettre par écrit le récit de tous les événements, depuis mon départ pour l'hôpital jusqu'à mon retour à la maison. Bien entendu, je ne pouvais raconter que ce dont j'avais été consciente, ce qui excluait le moment où j'avais été sur la table d'opération. Je me souviens avoir noté que le chirurgien avait un regard étrange et qu'il ne m'avait pas fait une bonne impression. Le docteur S. essayait tous les jours d'entrer en contact avec lui ou un autre membre du personnel qui l'avait assisté. En vain. Une infirmière lui téléphona, refusant toutefois de dévoiler son nom. Elle avait assisté à l'opération, disait-elle, et elle lui aurait tout raconté. Je n'ai pas voulu savoir ce qu'elle a dit. Toute cette affaire m'avait fortement ébranlée, physiquement et psychiquement. Révoltée aussi. Je ne voulais plus jamais en entendre parler. J'avais trois jeunes enfants et il me tardait de retomber sur mes pieds. Il m'a suffi d'apprendre, plus tard, que le chirurgien criminel ne pratiquerait plus, à la suite des démarches entreprises par mon médecin auprès des autorités du corps médical.

25 juin – Rencontre avec C. – Je parle des derniers jours passés à sentir mon ventre brûler. Selon lui, cette brûlure démontre qu'il se fait un gros travail de guérison. « Un véritable travail d'initiation », affirme-t-il. Ces propos me laissent un brin perplexe, incrédule même. Qu'importe, je sens l'urgence d'aller jusqu'au bout. La vie elle-même me le commande. À mesure que je m'abandonne à la détente, ma respiration se fait de plus en plus profonde en même temps qu'une grande paix m'envahit. Le travail concernant Petit Martin semble terminé, même si je le sens proche de moi.

Est-ce parce que tu me savais capable de t'accompagner dans cette brève mais difficile épreuve de ton existence que tu as choisi mon corps comme berceau? Je n'avais pourtant rien pour te secourir pendant ces longues heures où tu n'en finissais plus de mourir. Sauf mes mains sur le nid chaud de mon ventre et mes prières toutes centrées sur toi. As-tu senti ces ondes d'amour que je t'envoyais pour te soutenir? Ce court moment que nous avons eu ensemble nous appartient à nous seuls pour l'éternité. J'en garde l'empreinte dans mon âme comme un souvenir sacré. Un jour, nous nous retrouverons. De cela, je suis certaine. En attendant, fais dodo, mon tout petit ange.

De retour à la maison, je cherche à me dorloter. Je me prépare une bonne tisane chaude, avant de me plonger dans un somptueux bain aux huiles essentielles. Je passe le reste de l'après-midi à me détendre au son d'une musique douce qui finit par m'endormir.

Ce soir, j'essaie de comprendre la répulsion que la mort m'inspire encore. À vrai dire, ce n'est pas tant le moment de la mort qui me choque, mais la façon dont elle se présente. Pour la majorité des gens, mourir est précédé de dégénérescence et de souffrance. Souvent, au moment de sa mort, la personne est dans le coma ou dans l'inconscience. Est-ce normal? C'est pourtant un moment sacré de sa vie. J'ai beaucoup de mal à accepter qu'une personne finisse ses jours dans un affaiblissement qui élimine graduellement toute qualité de vie. Est-ce parce que je me sens impuissante devant quelqu'un qui s'éteint peu à peu ou qui perd son combat contre la maladie? Est-ce parce que je suis incapable d'accepter que la mort vienne de façon tout aussi horrible que violente ou inattendue? Ou parce que je ne veux pas laisser aller ceux que j'aime? Les mains ne se resserrent-elles pas tout naturellement sur ceux que nous chérissons? C'est à contrecœur qu'elles acceptent de s'ouvrir pour les laisser partir, peu importe les circonstances de leur départ et nos croyances dans l'après-vie. C'est un mouvement naturel, qui va de soi. Nous serrons et nous retenons parce que nous ne savons pas encore nous détacher sans en subir une déchirure profonde. Ce qui nous est enlevé s'en va en emportant de grands pans de notre être.

Qu'on ne vienne surtout pas me parler des beaux livres sur le lâcher prise et autres choses du même genre. Les auteurs ont-ils véritablement vécu ce dont ils parlent? J'en doute, parfois. Je m'égare, je le sais bien. C'est qu'il y a en moi tant de révolte encore. Pourtant, au fil des ans, j'ai cherché à apprivoiser la mort. J'ai donc lu quantité de livres sur le sujet et sur l'après-vie. J'en suis venue à penser que mourir n'est qu'un simple passage à une autre dimension, un saut dans un autre état d'être. J'ai lu quelque part que la mort serait plutôt le moment de notre arrivée sur terre et que mourir à la vie terrestre représenterait la naissance véritable. Notre planète serait une sorte d'université : on y viendrait pour maîtriser certaines facettes de la vie que notre âme désire expérimenter. Nous retournons à la maison dès que cette mission est accomplie. Ceux qui partagent notre vie y seraient pour nous faire évoluer et nous aider à avancer sur notre route. Et nous de même, pour eux, que nous en soyons conscients ou non. Les obstacles que nous rencontrons, au cours de notre vie, ne seraient que des défis pour forcer l'irruption de qualités qui dorment en nous ou pour en raffiner d'autres, demeurées latentes ou insuffisamment maîtrisées. Cela a du sens pour moi et j'y adhère. Néanmoins, la mort m'angoisse vraiment. Est-il possible que je sois démesurément attachée à la vie sur terre? Serais-je une âme récalcitrante? Qu'est-ce que je n'arrive pas à apprendre?

Le détachement peut-être?

Sans aucun doute! Reste à savoir comment le faire. Il n'y a pas de hasard, dit-on constamment, et j'y crois. Les sages nous enseignent également que les enfants nous sont prêtés, que la vie ne fait que passer par nous pour les faire arriver sur terre où ils feront leur apprentissage. Elle les reprendra, au moment opportun pour eux. Tout cela m'apparaît sensé, mais dans le concret… Devant un être cher sur le point de rendre l'âme ou dont on apprend la mort brutale, toutes ces belles théories ne tiennent plus. Elles coulent à pic. Qui peut dire autrement?

Difficile de garder la main ouverte…

Plus je réfléchis, plus je vois que le temps est venu pour moi de déraciner l'idée que je me suis faite de la mort quand j'étais petite. Je dois revoir les croyances qui m'ont été transmises par des gens d'une autre époque. Trier et mettre à jour, ne garder que les valeurs chères à mon âme. Rien d'autre. Tout d'abord, expulser de mon « mental » ce qu'on y a distillé du haut de la chaire ou du pupitre des bonnes sœurs, à l'école. La mort m'a été présentée comme une entité cadavérique, drapée d'un linceul, toujours en quête d'une vie à faucher, au hasard de sa fantaisie meurtrière. On disait qu'elle pouvait venir à toute heure. Telle l'épée de Damoclès, elle frappait au moment où nous nous y attendions le moins, souvent pendant le sommeil. L'œil de Dieu, dans le triangle, nous surveillait sans cesse. Un Dieu impitoyable. C'était lui qui envoyait la « faucheuse » sur terre. Il était facile de concevoir la mort comme une chose repoussante, surveillant sournoisement une éventuelle victime pour se jeter sur elle et lui ravir sa vie. Il nous fallait donc être prêts en tout temps pour le jugement de nos innombrables péchés. Si nous avions le malheur de mourir en état de péché mortel, nous risquions l'enfer. Sinon, nous allions au purgatoire. Le ciel était évidemment réservé aux gens du culte ainsi qu'aux bonnes mères chrétiennes de grosses familles qui se verraient décerner une couronne de gloire. Surtout, évidemment, si elles avaient donné des prêtres et des religieuses pour le salut des autres. À la maison, on parlait de la mort en chuchotant, comme on parle d'un ennemi terrifiant. Mourir était une calamité. Une terrible épreuve qui s'abattait sur la pauvre victime et ses proches. Quel enfant sensible n'aurait pas été traumatisé par des concepts aussi épouvantables qu'insensées? Encore aujourd'hui, j'en ai des frissons. C'est dire que l'angoisse sécrétée par l'éducation que j'ai reçue est restée collée à mes cellules.

Je parle de tout cela avec ma thérapeute. Finalement, je lui raconte l'épisode de Petit Martin. Après un long silence, elle me confie d'une voix émue qu'il est rare qu'une mère sente son enfant mourir en elle. Je lui parle aussi de la peur restée tapie au fond de mon être. Peur du cancer, peur de la mort, n'est-ce pas pareil?

Elle m'invite à regarder le film-vidéo de Marie-Pier, dans l'espoir de m'aider à apprivoiser l'idée de la mort. C'est un reportage sur une enfant atteinte de cancer, qui regarde venir sa mort avec une sérénité et un calme dérangeant. Elle n'attend plus la guérison; elle parle de son choix de mourir plutôt que de continuer inutilement les traitements. Elle se dit en paix avec son choix. Elle sait qu'elle partira bientôt pour un monde meilleur et s'y prépare comme on s'apprête à partir pour un long voyage. C'est ce que sa mère lui a appris pour l'aider à affronter l'issue inévitable de sa maladie. Elle a 12 ans.

13

12 ans… N'est-il pas étrange qu'à l'âge de Marie-Pier j'aie été guérie, alors que j'étais au seuil de la mort? Appendicite perforée, péritonite aiguë : on en mourait dans ce temps-là, inévitablement. Et j'étais sur le point de mourir dans ce qui s'appelait « la chambre des mourants », où l'on m'avait installée, quatre jours après l'opération. Les images se mettent à défiler rapidement dans ma mémoire.

Maman est là, assise près du lit, l'air triste et accablé. Elle essaie de mettre un petit chapelet blanc entre mes doigts, mais ils refusent de se plier pour le retenir. Je me souviens très bien des grains de ce chapelet : rectangulaires et d'un blanc laiteux. Finalement, elle le glisse dans mon bras jusqu'au coude, et croise mes mains sur ma poitrine. Papa est dans l'embrasure de la porte. Il m'apparaît entièrement de couleur ocre, y compris ses vêtements. Il pleure à chaudes larmes. De temps en temps, je vois maman qui prie silencieusement, les yeux baissés. J'observe aussi les religieuses autour de moi : les unes tirent le drap qui recouvre mon corps pour en défaire les moindres plis; les autres s'affairent à préparer le nécessaire pour l'administration des derniers sacrements. Personne ne m'adresse la parole, personne ne se penche sur moi, personne ne me touche. Je regarde tout cela, totalement indifférente et vide, jusqu'au moment où les sœurs s'agenouillent au pied du lit et commencent à réciter le *De profundis*. Je connais cette prière pour l'avoir apprise à l'école. Je sais aussi qu'on la récite pour les mourants ou ceux qui viennent de mourir. La pensée que je suis probablement seule à savoir que je ne suis pas morte traverse alors lentement mon esprit. Le prêtre arrive. Je le vois tout en noir, même sa peau. Il demande à Dieu de me pardonner les péchés commis par les différentes parties de mon corps qu'il touche en faisant une petite croix sur chacune, y compris mon nez. Je ne veux pas qu'il me touche, mais aucun son ne sort de ma bouche. Je ne peux qu'observer ce qui se passe. Après le départ du prêtre, j'entends des pas au loin, comme en écho. Des pas qui résonnent fort, de plus en plus fort à mesure qu'ils approchent.

Comment pouvais-je savoir que ces pas venaient vers moi et pour moi... Je savais. Point.

En entrant dans la chambre, « il » est venu tout droit vers moi, à la manière de quelqu'un qui sait pour qui il vient et ce qu'il vient faire. Il ne s'est occupé de rien d'autre. Il m'a regardée droit dans les yeux en se penchant pour retirer le drap qui recouvrait mon corps nu. Puis il a placé ses mains chaudes de chaque côté de mon ventre et les a gardées ainsi un long moment, toujours en me regardant intensément. Je me sentais vue jusqu'à la racine de mon être, tandis que son regard pénétrait en moi comme une source d'eau pure. Je n'avais jamais vu un être aussi beau, des cheveux aussi étincelants, des yeux aussi bleus. Puis, j'ai vu les yeux bleus s'embuer, deux larmes perler et glisser lentement sur les joues dorées. Je regardais, subjuguée, hypnotisée, réchauffée. « Elle est guérie, rentrez chez vous », s'écria-t-il, en se redressant pour regarder mon père qui pleurait toujours dans l'embrasure de la porte. Papa s'est mouché bruyamment et il a demandé : « En êtes-vous sûr? — Vous pouvez rentrer chez vous, elle est guérie », insista-t-il. Il est parti aussitôt. Je ne l'ai jamais revu.

Comment ce « docteur » si beau avait-il su qu'il fallait venir mettre ses mains chaudes sur mon ventre, au moment même où la mort s'apprêtait à me prendre dans son filet? Mystère... La mort m'avait mise en joue, mais elle avait échoué. La vie aussi m'avait remarquée. Elle me gardait précieusement dans sa mire. Parce que j'appartiens à la vie, non à la mort!

Je n'ai certes pas à tout comprendre, mais simplement à retenir que la mort, ce jour-là, a été déjouée. Non par un médicament ou un cataplasme, mais par la chaleur et la tendresse de la vie. N'est-ce pas le propre de la vie de défendre jalousement ce qui lui appartient? Et pourtant, elle a laissé la mort agir envers cette enfant de 12 ans comme moi, opérée pour la même affection quelques jours plus tard. Elle occupait le lit voisin du mien. Je me souviens de sa chevelure flamboyante, ondulant en longues mèches sur ses épaules. Je revois encore son regard tourmenté qui fixait mon verre d'eau, car elle était assoiffée par la fièvre. J'essayais de la rassurer, mais elle ne semblait pas m'entendre. Brusquement, elle a quitté son lit et s'est dirigée vers moi, les bras en avant. Elle s'est écroulée juste avant d'atteindre mon verre. On l'a aussitôt transférée dans la chambre des mourants. Je savais où on l'emmenait. Je demandais sans cesse qu'on me laisse aller la voir. On a fini par me dire qu'elle était morte. Je criais, je pleurais, incapable d'accepter qu'elle avait été emportée avant que le « docteur » venu pour moi n'aille poser ses mains sur elle. Une infirmière est restée auprès de moi pour tenter de me calmer. La vie pour moi, la mort pour elle… Pourquoi? Je restais inconsolable et troublée, incapable de résoudre cette énigme.

On m'a gardée quelque temps à l'hôpital, pour me permettre de reprendre des forces avant de rentrer à la maison. On me donnait beaucoup d'attention, on m'entourait, on me cajolait. On me demandait même de chanter des cantiques, mais mes lèvres restaient hermétiquement fermées. Je sentais très bien que cette attention n'était pas pour ma personne, mais pour le supposé miracle que je représentais.

Aujourd'hui, je reconnais que j'ai été marquée par la vie. C'est une évidence qui me crève les yeux. Mais la mort n'est jamais très loin. Existe-t-il une réponse claire pour donner un sens à la vie et à la mort ou faut-il simplement s'adapter et subir? J'ai scruté les livres saints, ceux de savants philosophes et de chercheurs de tout acabit. Qui dit vrai? Je vois bien que je dois m'en remettre à ma voix intérieure, non à celles des autres ni à celles du passé.

Dans le calme et dans la confiance, je trouverai ma vérité.

29 juin – Je marche au bord de la rivière. Il fait un soleil éclatant et le vent est bon. J'ai conscience de ces éléments qui entrent en moi par les pores de ma peau et par ma respiration. Ils se répandent jusqu'aux fondations de mon être et me font un bien immense. La nature m'offre le soutien dont j'ai besoin : le soleil réchauffe mon corps et le vent aère mon esprit. La rivière coule doucement pour apaiser mon âme. Les arbres et les fleurs me transmettent leur beauté à la fois toute simple et grandiose. Le firmament me parle de l'infini, pendant que les oiseaux et les papillons semblent exister pour égayer ma vie. Oui, la nature est mon domaine, mon vrai chez-moi.

2 juillet – Rencontre avec C. – Je pense enfin à lui parler de l'odeur de métal ou de je ne sais quoi qui se dégage de mes urines, après chaque traitement jusqu'au lendemain midi. Il dit que c'est normal. Selon lui, l'élimination des toxines se poursuit durant huit à douze heures après chaque traitement. Ce qui me dérange, toutefois, c'est que je détecte la même exhalation chez une amie lorsqu'elle reçoit de la chimiothérapie. Lui ne s'en étonne pas.

3 juillet – Aujourd'hui, je ressens l'urgence de faire une visite à S., dont le cancer aux poumons s'est aggravé. Elle est hospitalisée, au seuil de la mort. Cela m'attriste de la voir ainsi. Alors que je l'embrasse avant de la quitter, elle me retient dans ses bras un long moment, me remerciant d'avoir été sur sa route. Je murmure une parole douce à son oreille, sachant que c'est un adieu.

Ciel, que je me suis sentie impuissante! Le même sentiment poignant que j'ai éprouvé devant ma sœur agonisante. J'aurais voulu tout faire encore pour la sauver. Pourquoi cette insistance à éloigner la mort, quand la victime est déjà dans ses bras? On n'y peut rien et c'est bien cette faiblesse qui est crucifiante. Elle nous oblige à plonger le regard dans le visage même de celle que l'on ne veut pas voir et à la regarder agir.

Oui, je hais la Mort!
À quoi bon me le cacher et faire semblant d'accepter
le déroulement soi-disant normal de la vie :
naître, vivre ou survivre, mourir.
De toutes mes forces,
je résiste à l'idée qu'un jour je ne serai plus.
Que mes poumons arrêteront de respirer
et mon cœur de battre.
Que mon sang se figera
et que mon cerveau s'éteindra.
Je ne peux y consentir,
toutes mes cellules s'y refusent.

Non, je ne veux pas fermer les paupières une dernière fois
et ne plus revoir ceux que j'aime.
Même si je sais que c'est contraire à la réalité,
même si je sais que mon tour viendra infailliblement,
quelque chose au fond de moi se révolte à cette idée
et je ne peux que protester et résister.
Ne dit-on pas que la vie est éternelle?

Eh bien, que je vive!
Que je continue d'aller au-devant
des milliers d'horizons à découvrir!
Que je m'étire jusqu'au fond du troisième millénaire!
Je veux voir le monde,
apprendre les langues et les cultures d'ailleurs,
aller dans l'espace, sortir de la galaxie, découvrir les Univers.
J'aime la vie et tout ce qui la compose.

J'ai savouré quelques moments de bonheur intense,
il est vrai.
Mais il me faut reconnaître que la trame de ma vie
a surtout été tissée d'obstacles à surmonter
et de désirs interrompus.
Il y a mille et une choses que je n'ai pas encore goûtées
et tant d'autres à réaliser avant l'inévitable.
Comment entrevoir une fin,
alors que j'ai l'impression d'être sur le point de renaître?

Je sais bien qu'un jour la vie viendra chercher ce qui lui appartient. Ce sera à mon tour de me glisser dans ses bras, vers l'inconnu. Ce jour viendra. Inéluctablement. Quelle importance que j'accepte ou conteste ce dénouement, que je croie ou non en l'au-delà. Mais je voudrais voir venir la mort et non qu'elle vienne me faucher sournoisement par derrière, laissant mes proches sous le choc ou dans l'horreur. De nombreux livres s'efforcent de décrire le passage et le cheminement de l'âme après la mort. Ces lectures m'ont aidée, c'est vrai, à me familiariser avec les aspects de l'autre monde, mais une angoisse persiste lorsque je pense à mon propre départ vers cet ailleurs. Comment se fera ce passage qui doit me ramener à la Lumière?

Comment vais-je l'aborder, si jamais j'en ai le temps et que je suis en possession de toutes mes facultés? Apeurée ou confiante et paisible? Devrais-je commencer dès maintenant à défaire un à un les nœuds qui m'attachent encore si fort à la vie?

Le cancer m'amène à faire la lumière sur les ombres qui m'habitent. Il m'oblige à démêler tant de choses! J'en suis renversée. Autrement, je resterais figée dans mes phobies et Dieu sait comment j'effectuerais le saut dans l'éternité, lorsque ce sera mon tour. Je ne le dirai évidemment à personne, pas encore. Mais, en ce moment, je sens le besoin de remercier ce maître qu'est devenu le cancer pour les éclats de lumière qu'il fait naître en mon âme. Je prie pour que cette lumière m'amène aux portes de la sérénité.

4 juillet – Me voilà complètement amorphe. Aucun goût pour quoi que ce soit. Le contraire serait sans doute étonnant. Le processus dans lequel je me trouve fait travailler très fort mon corps. Ce n'est surtout pas le moment de me lancer dans des projets. À part quelques passe-temps légers, je n'ai le goût de rien. J'ai besoin de beaucoup de repos pour m'aider dans les changements qui se font en moi et pour réparer des années de fatigue. De retour à la maison après une séance avec C., je dors comme une souche durant deux grosses heures.

14

5 juillet – J'observe, depuis quelques jours, des images-souvenirs qui commencent à papillonner dans ma mémoire autour de l'accident. Je fais cette observation sans trop m'y attarder, comme à distance. Lorsqu'elles font irruption dans mon esprit, ces images se présentent enveloppées dans des traînées de brume. Chaque fois que je prends conscience de leur présence, elles tendent à disparaître, comme des lambeaux de rêve. Je n'ai pas de prise sur elles, et c'est très bien ainsi. S'il y a des faits du passé dont je ne veux surtout pas ranimer le souvenir, ce sont bien ceux évoqués par ces images fugitives et embrumées. S'il m'était possible d'éviter le rappel de ces événements, je le ferais sans hésiter. Et pourtant, je sens que plus rien ne peut échapper au grand nettoyage en cours. Je frissonne à cette idée. Mais pour le moment, je laisse les ombres voltiger à leur gré dans mon esprit. Je ne ferai pas le moindre effort pour les saisir; ma mémoire se chargera de me les montrer, dans toute leur vivacité, au moment opportun. J'ai l'habitude du processus maintenant. Si ces souvenirs doivent sortir de leur assoupissement, eh bien, qu'ils s'étirent tout le temps nécessaire avant de s'offrir à ma conscience. Je ne suis pas pressée. Oh! non.

6 juillet – Rencontre avec la thérapeute de l'hôpital. – Nous échangeons sur les états d'âme que suscite le moindre symptôme, léger ou sévère, qui nous fait immédiatement craindre le pire, quand on a été visité par le cancer. Il n'y a vraiment pas de repos. Une toux persistante, une douleur continuelle au dos, à la tête, et nous nous précipitons pour des examens. Cette peur du cancer, qui semble nous habiter perpétuellement, n'est-elle pas le signe d'une panique profonde?

Il devient urgent de la déterrer et de l'éliminer, puisque la peur attire ce qu'elle craint...

Je découvre à quel point cette intervenante m'est devenue précieuse. Avec elle, je peux parler de tout aisément. Elle ne conteste jamais ce que je vis. Au contraire, elle m'aide à valider mon expérience. Je lui dis mon appréciation. Je lui confie le besoin que j'aurais eu d'avoir à mes côtés quelqu'un capable de m'écouter, surtout pendant l'année qui a suivi le décès de mon compagnon de vie. Je me souviens du jour où, ne sachant à qui exprimer mon désarroi, je m'étais confiée à un médecin. Je lui avais révélé que je me sentais saigner « par en dedans » et que cela m'affolait. Il m'avait recommandé de voir un psychologue au plus vite. Ce psychologue m'avait fait comprendre clairement qu'il ne voyait pas de sang couler. Lorsque j'ai annoncé au médecin que je ne désirais plus revoir ce thérapeute, il a insisté pour que je poursuive. Ce que j'ai fait, il n'y avait rien d'autre à faire à ce moment-là. Toutefois, j'ai cessé de parler de mon tourment. Avec la thérapeute de l'hôpital, la situation est complètement différente. Son attitude démontre qu'elle accepte tout de moi, sans me juger, même quand cela semble la dépasser. Je peux tout lui dire. C'est donc très spontanément que je lui parle aujourd'hui de mon effroi de sentir saigner cette déchirure intérieure.

Je me souviens du jour où, en feuilletant un livre sur les corps subtils, j'y avais vu une représentation d'un corps éthérique dont les centres d'énergie étaient déchirés. C'était exactement ce qui m'était arrivé. Je devais guérir de cette saignée, mais je ne savais pas comment. De nos jours, on connaît mieux l'énergie et les corps subtils. On peut même parler de l'état de ses centres d'énergie sans passer pour une personne à l'esprit dérangé. Comme j'étais ignorante de ces choses, à l'époque, j'étais portée à accorder ma confiance aux soi-disant spécialistes plutôt qu'à moi-même. Quelle erreur! Combien de fois ai-je mis en doute ma propre expérience, à force de recevoir des messages négatifs? Combien de fois me suis-je forcée à croire que je n'avais qu'à mettre ma peine de côté et à fonctionner comme tout le monde, tout en tâchant d'élever mes enfants, eux-mêmes malheureux? J'espérais qu'en agissant ainsi l'emprise de mon chagrin finirait par diminuer. Au contraire, hélas, cette façon de faire ajoutait à ma souffrance.

Je discerne distinctement aujourd'hui que les messages négatifs, émis à répétition par l'entourage et la société, forcent au refoulement et au repliement sur soi. Ceux qui les transmettent en sont sûrement inconscients ou s'en lavent les mains. Ils croient que l'endeuillée a réglé son deuil puisqu'elle ne parle plus de sa peine et cela les soulage. Encore de nos jours, on louange la personne endeuillée qui ne montre pas son chagrin. On dit qu'elle se comporte avec dignité. Elle est assommée, mais on la dit forte parce qu'elle n'est pas hystérique. Excellente façon de la forcer à se conduire comme si rien n'avait bouleversé sa vie. Aux yeux de tous, elle fonctionne normalement ou presque. Pourtant, elle est figée et personne ne veut connaître son véritable état intérieur. Elle voudrait réagir, mais les mots lui semblent vides de sens. Tout est subitement devenu incohérent. Elle a l'impression de vivre au ralenti, quasi étrangère à ce qui se passe autour d'elle, même si tout ce qu'elle entend et voit se grave en elle comme dans du marbre. Plus souvent qu'autrement, elle reste silencieuse et ne tente même pas de répondre aux phrases creuses qu'elle entend. On la dit forte et digne. C'est seulement quand elle commence à revenir à la réalité et à ressentir l'absence de l'être cher que les sanglots montent. Mais ils sont rarement accueillis par l'entourage qui s'empresse de lui faire comprendre que « la vie continue » et qu'elle doit « se ressaisir ». Tout est différent évidemment lorsque l'on voit la mort s'approcher de l'être cher et que l'on a le temps de faire ses adieux. Le choc est moins brutal, les séquelles, moins lourdes, même si le chagrin de la perte est aussi vif.

Ne pas céder aux émotions, cacher la peine, la rigidifier dans une soi-disant dignité, voilà ce qui est encore trop souvent valorisé. Quelle aberration et quel piège terrible! Et dire que j'ai fini par me sentir anormale puisque, malgré mes efforts, je continuais à me sentir saigner intérieurement. C'était mon énergie vitale qui s'écoulait ainsi. Mon extrême sensibilité me le faisait ressentir sans que je puisse nommer le phénomène. Si j'ai survécu à une pareille saignée, c'est qu'il devait bien y avoir une source en moi qui soutenait et protégeait ma vie, à mon insu. Il est temps que je redécouvre cette source. Au diable ce que les autres pensent! Au diable ce qu'ils croient ou ne croient pas! C'est moi la spécialiste de mon expérience! Moi seule ai l'expertise de mon vécu. Personne d'autre.

Trop longtemps, j'ai laissé les autres exercer un pouvoir sur moi, au lieu d'affirmer qu'ils n'en avaient aucun. Je n'ai pas à me le reprocher. Je ne pouvais que me débattre dans le piège maudit qui m'a gardée captive si longtemps. Je dois encore me protéger contre la culpabilité. Elle aurait beau jeu de dénoncer ma faiblesse d'alors et de faire fi de la douleur que je vivais. Je dois accepter ma différence avec fierté. Ma façon de vivre ma vie ne peut être celle des autres. Personne n'a le droit d'interpréter mon expérience à ma place. Non, personne n'a le droit de nier mon âme. Ce serait bafouer mon droit d'être ce que je suis. Me forcer à entrer dans les moules et les clichés véhiculés par une société inhumaine, une société farcie de croyances et de préjugés, centrée sur la sacro-sainte image à projeter et à protéger. Toujours pour montrer ce que l'on n'est pas! À ce jeu, on finit par confondre ce que l'on est véritablement avec le masque que l'on porte. Tant de gens semblent incapables de tolérer ce qui est différent et voudraient que les autres deviennent leur copie conforme. Ils ne se rendent pas compte des pauvres limites qu'ils s'infligent à eux-mêmes. Ils s'imaginent connaître « la » vérité sur les autres et la façon dont ceux-ci devraient vivre leur vie. Ils ne voient pas que la seule vérité est celle qui les concerne eux et leur propre vie. Il leur est facile de s'arroger le droit de dire aux autres comment gérer leur expérience. Tout cela est fait la plupart du temps sans méchanceté. Par pure inconscience.

Ces réflexions m'aident à comprendre encore mieux à quel point j'ai été conditionnée et façonnée de manière à tout garder en moi-même. Elles m'obligent à constater, encore une fois, que la souffrance enfouie est demeurée intacte. Il n'est donc pas surprenant que la simple évocation d'expériences douloureuses du passé me soit toujours pénible. Cependant, c'est la force acquise, à travers les coups durs, qui me permet le processus dans lequel Cancer 2 m'a projetée. Quel paradoxe! Il faut de la force pour passer à travers les malheurs, mais c'est seulement en les traversant qu'on l'acquiert.

Il n'y a jamais eu et il n'y aura jamais personne
tout à fait semblable à moi.
Le Créateur m'a faite unique.
Il m'a dotée de ce qu'il faut pour venir exprimer
une facette particulière de la vie et de sa splendeur.
C'est avec amour qu'il contemple son œuvre,
n'y voyant que la perfection en devenir.
J'ai du prix à ses yeux.
C'est ce qui compte pour moi!

7 juillet – Ne plus détourner les yeux de ma réalité, la sortir au grand air, la regarder pour ce qu'elle est. Cela m'apparaît quasi effrayant. Bien sûr, puisque cela va à l'encontre des valeurs que j'ai reçues et auxquelles j'ai adhéré trop longtemps. Je sais maintenant que c'est ainsi seulement que je retrouverai la foi en moi et en la vie. Je ne peux le faire que par bribes et de façon décousue. Quelle importance! Un jour, tout tombera en place. Un peu comme les morceaux pêle-mêle d'un casse-tête : placés ici et là, ils finissent par donner une image réelle et complète. Regarder en face, une fois pour toutes, les expériences difficiles que la vie m'a données à vivre, accepter l'horreur sans en détourner les yeux et voir ce que la vie a façonné par ces épreuves, voilà bien de quoi il s'agit.

Hé, adieu, cancer!

Le cheminement dans lequel je suis engagée se déroule un peu comme s'il était orchestré par une force intérieure. Peut-être même, céleste. Je ne peux qu'y consentir. Ce qui m'apparaît de plus en plus comme le prix de la guérison. Eh bien, s'il en est ainsi, que remonte la grande blessure coagulée aux tréfonds de mon être. Le seul fait que mon cœur se contracte à cette évocation m'indique que c'est ce qui reste à faire. Je comprends mieux aussi que les blessures déjà débusquées par ce travail devaient être soignées d'abord, avant d'en arriver à une épreuve aussi traumatisante que celle de la perte de mon époux.

Et vous, mes anges, vous mes amis et protecteurs célestes, de grâce, accompagnez-moi d'aussi près que lorsque j'ai senti la grande main dans mon dos…

Eh oui, Cancer, ce sera un adieu définitif!

15

8 juillet – Je laisserai donc remonter les événements qui ont entouré la tragédie, tels qu'ils se présenteront spontanément à ma mémoire, sans me préoccuper de leur ordre chronologique et sans chercher à contrôler leur contenu. Dorénavant, je ne renverrai plus à leur cachette les images de ce passé. Je les laisserai se manifester au grand jour de ma conscience, pour qu'elles soient baignées et lavées de la souffrance qui les enrobe et les garde toujours captives. Ceci est une voie de guérison choisie par mon âme, je lui fais confiance. C'est donc avec espoir que j'entrouvre la porte sur les faits qui m'ont tant marquée.

Après quinze ans de mariage, les épreuves nous avaient unis, mon mari et moi, dans un amour profond que nous avions appris à protéger des perturbations extérieures. Nous avions trois enfants magnifiques que nous adorions. Nous nous sentions comblés, choyés, et cette richesse n'avait rien de matériel. Nous avions appris aussi que le bonheur n'est jamais gratuit. Rien ne nous tombait tout cuit dans la bouche. Oh! non.

Cette nuit-là, je n'ai pu fermer l'oeil. Un mal de tête lancinant avait fini par se fixer au côté gauche de ma mâchoire, aux petites heures du matin. Je regardais dormir mon mari, en me répétant que sept jours sans lui, ce serait trop long. Il allait partir dans quelques heures, alors qu'il revenait tout juste d'une visite de plusieurs jours dans sa famille. Cette fois, pour un séjour en forêt. Il aimait en admirer les habitants et savourer son petit déjeuner cuit sur un feu de bois, quand la brume enveloppe encore les alentours. Un besoin, un appel, disait-il.

Je me disais, en le contemplant, que je pourrais inventer des raisons de le retenir. Je n'avais qu'à le supplier de rester, en y mettant toute l'insistance dont j'étais capable. Je lui parlerais du nuage gris que je voyais planer au-dessus de nos têtes, depuis quelque temps déjà, de mes tremblements intérieurs, des serrements étranges qui me prenaient au cœur, à la pensée de son départ. Je pourrais parler aussi des enfants qui l'adorent : c'est trop long, sept jours encore sans leur père. En même temps, j'étais incapable de l'empêcher d'aller goûter cette liberté sans nom qu'il trouvait au contact de la nature. Je ne voulais pas l'arrêter, malgré le difficile combat qui se livrait en moi. Je ne pouvais pas le priver de cette paix à laquelle il aspirait tant. À la seule pensée de ces quelques jours en forêt, il devenait tout lumineux. Je l'aimais assez pour ne pas me mettre en travers de sa route. Je préférais souffrir l'ennui des jours et des nuits sans lui et l'angoisse des idées noires qui voltigeaient autour de nous, plutôt que m'accrocher à lui.

Dans la pénombre, je profitais donc de ces heures d'insomnie pour me remplir les yeux de lui. Je le faisais d'ailleurs de plus en plus, ces derniers temps. J'abandonnais tout, dès qu'il était là, pour profiter au maximum de sa présence, en prévision de son absence. Dans le silence de la nuit, troublé uniquement par nos respirations, je me disais que je n'aurais qu'à revivre mentalement ces moments pour déjouer l'ennui et combler le vide laissé par son départ. Un peu comme on regarde des photos de vacances.

Il venait de partir pour le bureau, ce matin-là, quand le curé de notre paroisse me téléphona. Il était agité, il parlait vite et fort. Je ne l'avais jamais vu dans cet état. Il m'expliquait qu'il ne voulait plus que les morts soient exposés dans « la maison de Dieu ». La chapelle du centre communautaire avait été conçue pour servir aussi à cette fin. Il déclarait et répétait que cette pratique était terminée. En parlant du ménage nécessaire après les funérailles, il hurlait presque. Il était allé voir les autorités de la ville, mais personne ne l'écoutait, se plaignait-il. Il me suppliait, « en dernier recours », d'aller voir le maire que je connaissais bien et d'expliquer son point de vue. J'écoutais sans comprendre comment le curé en était venu subitement à remettre en question une façon de faire qui existait depuis les débuts de la ville. Peut-être l'augmentation du nombre des décès, ces derniers mois, y était-elle pour quelque chose. Ahurie et scandalisée de ses propos, j'ai cru qu'il était devenu fou et j'en ai été bouleversée pendant un moment. Après réflexion, il m'a semblé préférable de laisser l'affaire en suspens et d'attendre le retour de mon mari de son expédition en forêt. Je lui raconterais cette conversation avec le curé, il trouverait sûrement une solution acceptable par tous.

Au dîner, je lui parlai de l'étrange malaise qui persistait dans ma mâchoire et qui m'empêchait même de manger. Ma gencive inférieure me semblait complètement écrabouillée, j'en avais du mal à prononcer les mots. Je n'y comprenais rien. Lui non plus.

Il avait prévu partir après le retour de l'école de notre aînée. Elle voulait assister à son départ et il avait promis de l'attendre. Nous avons donc passé l'après-midi ensemble. Tout est encore si vivace dans mon esprit. Nous baignions dans une atmosphère d'une qualité rare. Une grande paix nous enveloppait. J'étais habitée du désir intense de m'imprégner totalement de ces instants pour m'en nourrir pendant les jours à venir. J'aurais voulu arrêter le temps, éterniser ce moment. Tout cela m'étonnait, je m'en souviens clairement.

Je revois la lumière dans ses yeux, sur son visage. Je me rappelle les enfants autour de nous, alors qu'il leur racontait, encore une fois, comment c'était dans la forêt. Nous laissions nos regards nous caresser l'âme tendrement et nos mains s'effleurer. Puis nous avons pris un café, pour étirer encore un peu ce temps si précieux. Lui aussi semblait faire provision de cette douce énergie. Mes yeux n'étaient pas assez grands, mon cœur, assez large, pour capter l'amour qui se dégageait de ce bonheur pourtant simple. Je regardais et je prenais mentalement des photos, tant j'étais obsédée par la nécessité de graver dans les moindres replis de ma mémoire ces moments si exceptionnels. J'étais consciente de la force de ma hantise. Je m'en étonnais en même temps que je m'y soumettais. Comme si j'avais su...

Mes plus petites pensées d'alors sont demeurées si vivaces... c'en est presque insupportable.

9 juillet – Je revois son départ, le lac, les étreintes, les baisers, les mots doux, les regards tendres, les mains qui se cherchent, les enfants collés à nous... Je revois son dernier sourire et son « au revoir » par la fenêtre du petit avion qui l'emportait. Pour toujours.

Ô folle que j'ai été! Comment ai-je pu imposer le silence à mes cellules qui criaient : « Non, non, non! » Comment ai-je pu le laisser partir? C'est trop. Je ne peux pas aller plus loin.

Cela a existé, pourtant…

Oui, je sais. Tout est réel. Enregistré, gravé à jamais. Je ne peux rien effacer, rien modifier. Hélas!

10 juillet – Quelle folie d'avoir ouvert cette porte de ma mémoire! Je voudrais maintenant la fermer à double tour, mais je ne réussis pas à bloquer les souvenirs qui se précipitent. Ils s'emparent de moi sans prévenir et me laissent pantelante.

J'ai besoin d'air frais. Respirer à pleins poumons dans le vent, pour déraciner ces relents du passé qui déferlent en moi comme une mer agitée. Je marche le long de la rivière, en fermant les yeux pour mieux m'imaginer le vent du large qui souffle en grandes rafales sur mon océan intérieur. Que ce vent me fait du bien! Oui, plus que tout. Il balaie, il emporte ce que mes cellules ne veulent plus garder.

De retour à la maison, je m'amuse un peu avec Copain. Sa joie de me retrouver me fait du bien. Après quelques minutes de jeu, je mets une musique douce et je me plonge dans un bain d'algues marines pour rééquilibrer mes énergies et pour continuer la détente. J'ai tellement besoin de douceur.

11 juillet – L'énorme culpabilité de l'avoir laissé partir, alors que j'avais tant d'indices pour l'en empêcher, est encore présente en moi, je le reconnais. Je me suis répété et répété que le retenir, l'empêcher d'aller vers son rêve insensé de la forêt, aurait été une preuve d'amour. Longtemps, j'ai été anéantie par cette culpabilité qui me tordait le cœur.

Mais pourquoi l'aurais-je empêché de faire ce voyage dont il rêvait tant? Nous étions tous les deux trop épris de liberté pour nous brimer l'un l'autre. Cela semblait être l'essence même de ce qui nous animait. Non, je ne pouvais pas, malgré les signes, les intuitions, les prémonitions! Je ne pouvais pas savoir que cet avion le tuerait. Je ne suis ni coupable ni responsable de sa mort. Je le sais, oui, dans ma tête, je le sais. Mais dans mon cœur…

Comment pourrais-je ne pas m'en vouloir?

Impossible de savoir ce que serait notre vie si tout cela n'avait été qu'un mauvais rêve. Serait-il vivant aujourd'hui si je l'avais retenu? M'aimerait-il toujours si je l'avais gardé captif de mon amour? Serions-nous encore ensemble si je m'étais agrippée à lui?

Comment stopper ces réflexions torturantes? Je me sens oppressée, le cœur serré comme dans un étau. Je tourne en rond dans la maison, en tentant de me calmer. En vain, j'essaie de refermer la porte de ma mémoire. Je fais jouer la radio pour couvrir le tapage intérieur, j'allume une bougie, de l'encens, mais rien n'y fait. Incapable de rester tranquille et de trouver la paix, je sors respirer dans le soleil. Ses rayons chauds calment l'agitation de mon plexus et sèchent mes larmes. Copain, mon cher et beau Copain, m'accompagne. Je dois cependant le ménager; sa démarche est lourde depuis quelque temps et il s'essouffle rapidement. Je ralentis ma marche pour accorder mes pas aux siens. Il est devenu vieux et cela m'attriste.

12 juillet – Rencontre avec C. – J'éprouve une sensation aiguë d'arrachement. Des plaques épaisses et grises se détachent de moi, se désagrègent et disparaissent au loin. Dire que cela se fait aisément serait mentir, mais je suis incapable de bloquer ce processus. Je sais seulement, dans toutes mes fibres, que le traitement commencé ici, dès ma première visite, est le remède dont mon âme a besoin. C'est pourquoi je lui laisse une entière liberté dans l'enchaînement des scènes intérieures.

Comme sur un écran, je vois défiler le rêve que mon mari avait fait, si peu de temps avant l'accident, et qu'il avait partagé avec moi. Il se voyait étendu sur une table, rigide et recouvert d'un long drap noir. Je restais à ses côtés, veillant sur lui. Au moment où il me racontait son rêve, l'expression de son visage, faite de perplexité, d'appréhension même, me pénètre encore. Peut-être en devinait-il la signification et désirait-il la confronter à la mienne? Cependant, je me suis bien gardée de lui révéler l'angoisse subite de mon cœur.

Puis, sans transition aucune, le cercueil fermé apparaît sur mon écran intérieur. Je suis là, quasi inerte. Les enfants autour de moi : « Pourquoi il est dans la boîte papa? Où est sa tête, dans la boîte… et ses jambes, c'est où dans la boîte? »

Mon Dieu… mon Dieu…

Un éclair... une fraction de seconde... Et l'hélice de l'avion a tranché dans sa tête à la manière d'un sabre.

Mon pauvre amour...

Déchirure. Cri. Horreur. Chaos. Sang glacé dans les veines. Je suis clouée sur place. La réalité brutale, si réelle et irréelle à la fois, si terriblement soudaine. Mon cerveau reste figé dans le choc, mais il enregistre tout dans les moindres détails. Un cauchemar dont je ne peux m'extraire. Le tic tac de chaque seconde qui passe et qui s'enfonce lentement, profondément en moi, alors que le temps est en train de chuter au point zéro.

13 juillet – Je n'ai pas su tout de suite qu'il était mort ni comment. On m'a simplement dit qu'il y avait eu un accident. Après le cri, on m'a emmenée à l'hôpital où je croyais l'y trouver. Aussitôt, on a voulu me faire une injection. Je répétais que je n'étais pas malade. Je demandais à le voir, mais en vain. On ne me disait rien, on ne répondait pas à mes questions. On ne savait peut-être pas comment me dire qu'il était mort. Encore moins de quelle façon. Tous ces gens autour de moi semblaient affolés. Pour beaucoup, cet accident a été un coup terrible. On a encore insisté pour m'injecter un médicament, par crainte de mes réactions, je suppose. Je n'arrêtais pas de répéter : « Je ne suis pas malade! Je veux le voir! Où est-il? » Inutilement. Policiers, docteurs, infirmières s'agitaient autour de moi. Puis il m'est venu à l'esprit qu'on avait dû le transporter dans un autre hôpital, à cause de la gravité de ses blessures. On a fini par me dire : « Tu ne le reverras plus jamais. » J'essayais de crier, mais aucun son ne sortait de ma bouche. Je restais là, pétrifiée, comme dans un cauchemar dont on ne peut s'enfuir. Ils ont fait l'injection, pour m'aider, ont-ils dit. J'étais trop anéantie pour résister et, de toute façon, rien n'aurait pu atténuer l'effet de ce moment dévastateur.

Tout de suite, des représentants de son employeur sont venus m'offrir leurs condoléances. Sidérée, incrédule, je reculais devant les mains tendues. On chuchotait autour de moi. Les policiers allaient et venaient. J'enregistrais tous les détails, à la fois affolée et totalement impuissante à réagir. Tout cela se passait une heure à peine après son départ. J'étais projetée en plein chaos. Je ne pouvais m'en extirper, au contraire, je m'y engouffrais davantage à chaque seconde qui passait, inexorablement.

Hébétée par la soudaineté et la brutalité des événements, je ne voyais pas encore que la trajectoire de ma vie venait de bifurquer sans possibilité de retour en arrière. J'étais propulsée dans un univers qui n'avait aucun sens pour moi. Un univers dans lequel j'étais entourée de personnes affolées, prêtes à tout pour m'aider à faire face à la terrible réalité. Pour eux, les événements se déroulaient à toute vitesse, alors que pour moi le temps venait de s'arrêter. J'étais dans un monde irréel et effrayant en même temps. Je le constatais froidement, en observant ce qui se passait autour de moi.

Malgré mes questions, ceux qui savaient ont continué à me cacher la vérité sur sa mort. Ils ont bien dit que l'hélice de l'avion avait « frappé » sa tête, et que son corps était tombé dans le lac. Mais ils ont été incapables de dire que l'hélice avait « tranché » dans sa tête. Et moi, j'étais tout aussi incapable d'imaginer une pareille atrocité. J'ai pensé qu'il avait dû s'évanouir sous le coup, tomber dans le lac et se noyer. Plus tard, dans la soirée, on m'a annoncé qu'une équipe de plongeurs serait là, le lendemain, pour repêcher son corps.

Horreur! Ton corps dans le lac et ils le laissaient là! La terre continuait de tourner, alors que tu étais englouti au fond des eaux, mon pauvre amour...

Je craignais à tout instant de m'écrouler. Mon impression d'avoir été frappée par un pic démolisseur était si nette que j'avais peur d'éclater en petits morceaux à la moindre respiration. Et comment dit-on l'inexplicable à des enfants de cinq, six et dix ans? Quelqu'un a suggéré de le faire à ma place. Non! Même si, dans ma détresse, je savais que je ne trouverais pas les mots, je savais tout autant que ce moment n'appartenait qu'à nous. En montant l'escalier pour les rejoindre, je me forçais à répéter dans ma tête vide : « Tu ne peux pas nous abandonner. »

Dans des moments aussi horrifiants, les mots sont inadéquats. Même quand on a prié pour obtenir une aide céleste. On fait ce que l'on peut. C'est tout.

Tellement peu...

Mon cœur a des ratés... comme si une main de fer voulait l'empêcher de battre. C'est insoutenable, même aujourd'hui. Arrête, mémoire, c'est trop! Arrête!

Mon Dieu, comment barricader l'ouverture de ma mémoire et stopper les souvenirs? J'en ressens une telle nausée. Hélas! je sais très bien que je ne suis plus capable de les refouler, cela ne ferait que prolonger le calvaire. Je voudrais en finir au plus vite, mais j'en perds le souffle. J'allume une bougie. La lumière arrive comme une bouée de sauvetage. Je respire mieux.

Un soir, une bonne amie est venue me retrouver. « Emmène-moi », l'ai-je suppliée, en la voyant. Sa présence était une oasis où me réfugier. Elle a conduit au hasard des rues de la ville. Ses sanglots se mêlaient aux miens. Puis elle a demandé : « Où veux-tu aller? » J'aurais voulu dire : « Loin de ce cauchemar », mais je savais très bien que je ne pouvais échapper à ce qui était en train de se déployer. Le chaos était devenu ma réalité. À travers mes larmes, je ne cessais de lui répéter : « Je ne peux pas croire que je ne le reverrai plus jamais. » Le silence accompagnait nos pleurs. Parfois, elle posait sa main sur moi. Parfois, je prenais la sienne. Chère C., chère amie, où que tu sois, je te dis encore merci pour ces quelques moments. Avec toi, j'ai pu être moi-même, sans crainte de m'effondrer.

J'aurais voulu être seule avec mes enfants, même si je me sentais comme un contenant vidé de son contenu. Il y avait toujours plein de monde autour de nous. Des gens bien intentionnés qui voyaient probablement mon incapacité de faire face aux événements. J'aurais tout fait pour soustraire mes enfants à ce qui se passait. Je me répétais sans cesse à l'intérieur de moi-même que je ne les avais pas mis au monde pour vivre une telle douleur. Malgré mon désir intense de les protéger, je découvrais qu'il leur était tout aussi impossible à eux qu'à moi d'éviter la réalité. « Le temps fera son œuvre », me disait-on. Pour me rassurer, je suppose. « Il leur a donné le meilleur de lui-même; il vit à travers eux. Regarde, il est là, en eux. » J'entendais ces paroles qui se voulaient réconfortantes, je suppose, mais elles tombaient dans le vide. J'étais devenue insensible à tout. Tout, absolument tout sonnait faux à mes oreilles. Je fixais des yeux les gens qui me tenaient ce genre de propos et je me demandais intérieurement : « Qu'en savent-ils? » Je ne me reconnaissais plus. Une partie de moi était anesthésiée pendant qu'une autre observait froidement le cours des événements. Je sentais qu'une barrière infranchissable me séparait de ce que j'avais été avant le drame. J'avais l'impression poignante d'être hors de moi et cela me causait un malaise et une détresse indescriptibles. La sensation que chaque seconde se gravait dans mon être chaviré m'était un tourment innommable. J'étais entourée de tant de personnes complètement atterrées par cette tragédie et pourtant je ne réagissais pas, j'étais paralysée.

Un moment de solitude m'aurait-il aidée à refaire surface? Je ne sais pas. Les témoignages de sympathie m'étaient totalement insupportables. Ils sonnaient faux puisque je restais en dehors de la réalité. Je n'arrivais même pas à prendre conscience que j'étais veuve désormais et que, de ce fait, mes enfants étaient orphelins. Dans les profondeurs où je me sentais plonger chaque jour davantage, je me forçais à croire que je finirais par me réveiller de ce mauvais rêve. Je me le répétais sans cesse, dans l'espoir de m'en convaincre.

Mon pauvre amour, la pensée que je t'avais laissé partir assiégeait sans relâche ma conscience, elle ravageait mon cœur. Trop tard. Trop tard.

De nombreux signes, pourtant, m'avaient été donnés. Par exemple cet état bizarre, obsédant, qui m'obligeait à tout abandonner pour être avec lui le plus possible. Et cette obsession de photographier mentalement ses moindres gestes, même la petite cicatrice sur sa lèvre. Ces signes auraient dû allumer une lumière rouge, sonner une cloche d'alarme dans mon cerveau, puisque je n'écoutais pas le terrible pressentiment qui me poussait à le retenir. De même, ce rêve angoissant qu'il avait fait, quelques semaines avant son départ. Mais, pire, ô combien pire! la date de ce jour fatidique que j'ai vue en rêve, imprimée sur une large bande argentée, aussi brillante que la lumière et placée de biais dans le champ de ma vision : *27 septembre 19…* Les deux derniers chiffres s'effaçaient en volutes de fumée.

Ah, mon Dieu!

16

Oui, j'ai rêvé cette date. Aussi ahurissant et aussi invraisemblable que cela puisse paraître. J'en suis restée éveillée un long moment, avec la certitude que cette date était d'une importance capitale, qu'il fallait la retenir. C'était en juillet de l'année précédente. Je me souviens avoir attendu le jour indiqué avec une certaine fébrilité. Or, le 27 septembre de cette année-là fut un jour tout à fait ordinaire. Rien de spécial. Je n'y ai donc plus pensé.

Par quel étrange phénomène ai-je reçu de telles prémonitions? Cela me dépasse encore. Leur signification m'a échappé jusqu'au moment fatidique. Alors, je l'ai reçue comme un coup de massue. Sa clarté était intolérable, elle continue de l'être. Prévenue par des signes aussi forts, je n'ai rien fait pour empêcher cette tragédie. Comment ne pas en être torturée? Jamais je ne pourrai m'en remettre.

Aujourd'hui encore, ces souvenirs me sont insupportables. Il n'est pas surprenant que je les ai refoulés le plus loin possible au fond de moi. À quoi m'ont servi ces prémonitions? À quoi me servent de tels souvenirs, aujourd'hui? Je voudrais en perdre la mémoire. Pour toujours! Je prie le Ciel de les recouvrir d'un voile épais. Peu importe les conséquences, même si elles doivent être désastreuses. Oui! C'est trop dur. J'ai du mal à respirer et je ne cesse d'essuyer les larmes sur mon visage. Je ne tiens plus en place. Il me faut du bruit, sortir, n'importe quoi. Je saute dans la voiture et je me précipite au centre commercial, non loin de chez moi.

14 juillet – Inutile de lutter. Le passé est incrusté si profondément dans mon âme que je ne réussirai jamais à m'en débarrasser. J'ai le sentiment que même la mort ne parviendra pas à l'annihiler. Mon seul espoir est qu'elle puisse, au moins, emporter l'horreur qui l'enveloppe et qui me glace encore.

Sans cesse, au cours de toutes ces années, je me suis efforcée de tenir à distance le rappel de ces événements. Que faire maintenant qu'ils redeviennent si terriblement présents? Ils s'agglutinent à la surface de ma conscience comme attirés par un aimant. Ma vie et celle de mes enfants a été brisée et je ne suis pas encore arrivée à donner un sens à cette souffrance. Voilà pourquoi j'ai tant de mal à l'apprivoiser. C'est sans doute la raison de ce temps de guérison, peut-être même de rédemption…

Et le film continue, projeté sur mon écran intérieur par une force étrange. Quelques semaines après les funérailles, je me trouvais en repos chez des amis. C'est à ce moment-là que j'ai été frappée par la soudaineté de la mort de mon mari. À vrai dire, j'étais encore trop abasourdie pour penser correctement et je continuais d'imaginer qu'il s'était noyé. Or, en entendant mon nom, une personne qui se trouvait là, à mon arrivée, s'écria : « Pas la femme de l'homme qui a été décapité par l'hélice d'un avion! » Impossible de dire le hurlement qui m'a traversée de part en part, zigzaguant en tout sens dans mon être. Je l'ai entendu pendant des années à l'intérieur de moi, ce hurlement épouvantable. Encore maintenant, j'ai le souffle coupé et mon cœur tremble au souvenir de ce cri interminable. Plus tard, quand j'ai reçu le rapport du coroner, j'ai lu que l'hélice avait tranché dans la partie gauche de la tête, au niveau de la mâchoire… Rappel inévitable de ma sensation de mâchoire écrabouillée, le matin même du jour funeste. Mon Dieu, comment est-ce possible? La véritable question serait plutôt : comment ne suis-je pas devenue folle?

Je marche dans la maison comme une somnambule en tentant de respirer profondément pour arrêter la nausée. Je voudrais arracher ma tête. Détruire ma mémoire, ne plus jamais me souvenir. Jamais!

Calme… là… tout doux… Ferme les yeux… Respire… Ne crains rien, tu vas guérir, sois-en certaine.

Je me précipite dans le vent. Je n'arrête pas de me secouer la tête pour en déraciner les horribles réminiscences. Comme je voudrais ne plus rien savoir du passé! Je me rends dans le parc, au bord de la rivière. Une paix inattendue m'envahit pendant que les larmes coulent sur mon visage. Longtemps. Je suis terriblement seule avec ma mémoire omniprésente. Totalement consciente que je suis la seule à pouvoir porter ce que je suis. Je ferme les yeux dans l'espoir de trouver une source de réconfort quelque part en moi. Curieusement, ces moments de si grande solitude m'apaisent. Je ne peux pas me l'expliquer, je peux seulement constater qu'ils m'aident à retrouver le centre de moi-même, là où la solitude n'existe plus.

Je rentre adoucie et rassérénée. Copain me fait des joies comme s'il me retrouvait après une longue absence. Il m'entraîne dans un jeu de cache-cache et cela me fait du bien. Malheureusement, je ne peux plus l'emmener avec moi quand je sors, il se fatigue trop rapidement. Le poids des années sans doute. Je me prépare une bonne tisane, puis je me fais couler un bain aux huiles essentielles calmantes, que j'accompagne d'une musique guérissante. La paix se fait plus profonde. Ma tête se porte plus légèrement et je n'ai plus la nausée. À nouveau, ma mémoire sommeille. Je dors de longues heures.

À mon réveil, je me sens sereine. Je me rends bien compte que j'ai vécu des expériences hors de l'ordinaire, mais j'ai toujours tenté d'en minimiser l'importance et la gravité. J'ai cherché à surmonter ainsi l'horreur et l'angoisse qui m'habitaient. J'ai même essayé de vivre ces événements comme si j'avais su comment les vivre. Eh bien, non, je ne savais pas! Je n'ai rien souhaité de tout cela, je voulais une vie simple. J'ai souvent été prise au dépourvu par des situations inattendues qui surgissaient dans ma vie à la vitesse de l'éclair et je n'ai pu m'en protéger.

Qui peut se vanter d'être prêt pour la souffrance...

Elle a creusé son chemin en moi, en même temps que la solitude, dès l'âge de quatre ans, quand j'ai été laissée à l'hôpital, au milieu de femmes que je dérangeais. C'est sans doute à ce moment-là que j'ai commencé à pleurer intérieurement. L'éducation que j'ai reçue ensuite m'a appris à souffrir en silence, à l'exemple du Grand Supplicié. Puis, à douze ans... Et quand j'ai perdu mon fils Alain... Et quand ce médecin sans âme a maltraité mon corps et celui de Petit Martin... Et quand cet inconnu m'a jeté à la face que mon mari avait été décapité. Ah, s'il l'avait entendu, le hurlement de mon âme aurait arraché sa tête vide! J'ai tant pleuré en ravalant mes larmes, pleuré d'impuissance, de révolte, de peine, de rage, de détresse. Sinon, j'aurais hurlé à faire trembler l'Univers, hurlé jusqu'à me désintégrer. Cette souffrance fait trop peur. Toutes ces douleurs ont ébranlé les fondements de mon être, probablement parce qu'elles ont été criées à l'intérieur de moi-même. J'ai beau regarder dans toutes les directions, il ne semble pas y avoir d'échappée quand l'horreur se lie à la douleur. Elle la fige sur place. Et c'est peut-être bien ainsi. Sinon comment vivre, comment simplement survivre?

Peu à peu, mon corps se délivre des tourments qu'il a longtemps gardé prisonniers et je peux regarder la suite des événements. Malgré mes questions sur la mort de mon mari, j'ai eu à supporter que l'on me cache certains faits. On m'a traitée comme une personne inapte qui ne devait pas savoir ce que tout le monde savait. Comment ont-elles fait, ces bonnes gens que je pensais raisonnables, pour ne pas imaginer que quelqu'un finirait bien par m'annoncer la vérité, un jour? Comment ont-elles fait pour oublier que je serais seule avec mes enfants, au moment où je recevrais le rapport du coroner? Elles n'avaient pas prévu non plus que l'enfant du voisin s'empresserait de dire à ma fille ce qu'elle ignorait. Comment une enfant de dix ans peut-elle vivre avec une telle douleur? Personne n'a pensé à cela. Tout le monde voulait nous aider, bien sûr, mais tous, si proches et si éloignés à la fois, étaient incapables de saisir l'état dans lequel je m'enlisais et le mal fait à mes enfants. Fallait-il que je me mette à expliquer ce que nous vivions? C'était nous, les traumatisés, pas eux! Mais ils ne comprenaient pas.

La révolte est encore là...

Hélas! oui, je ne peux que le constater. Ce soir, je prie pour que mes docteurs célestes viennent m'aider à m'en purger. Je termine ma méditation en me voyant déambuler dans un jardin rempli d'arbres et de fleurs odorantes. En retrait, se trouve une fontaine, vers laquelle je me dirige. Dès que je pénètre dans le bassin, une énergie bienfaisante m'envahit. Debout, sous la cascade de la fontaine, je laisse l'eau purificatrice laver mon cœur et nettoyer mes cellules, physiques et psychiques. Je sors du bassin complètement apaisée et régénérée. Je m'étends sur l'herbe tendre, les rayons du soleil me sèchent et me remplissent d'énergie.

15 juillet – Je me le dis encore une fois, la guérison intérieure n'est pas gratuite. Je ne dois pas seulement y consentir et la désirer, je dois aussi me laisser pétrir par cette force étrange qui semble mener les opérations. À mesure que je me libère des poids du passé, une certaine légèreté commence à s'installer. Bientôt, ce processus de guérison sera terminé, je le sens. Cette pensée m'encourage, elle me donne un second souffle. Que le film des événements continue de se dérouler! J'ai confiance en la sagesse de mon âme qui en contrôle le parcours.

Mes amies se sont éloignées peu de temps après les funérailles, ce qui ne m'a pas aidée, évidemment. Lorsque les enfants étaient à l'école, je passais de longs moments à tourner en rond dans la maison. Je m'en voulais de mon incapacité à sortir du cauchemar dans lequel j'étais en train de m'enforcer. Le soir, je me couchais tremblante de frayeur. Avant l'accident, nous ne fermions jamais à clé les portes de la maison, mais depuis, je me sentais constamment entre deux peurs. Le moindre bruit m'affolait. J'étais surtout troublée de constater que la sécurité qui m'habitait, avant l'accident, était liée à la présence de mon compagnon de vie. Je me demandais avec angoisse comment m'y prendre pour retrouver la sérénité perdue.

Plusieurs semaines après l'accident, des amis d'une ville voisine sont venus me visiter. Ils m'ont remis un long article de leur journal publié en hommage à mon mari. J'ai osé leur dire qu'il m'était encore difficile d'accepter de ne plus le revoir, que je me trouvais souvent désemparée, incapable d'entrevoir mon avenir et celui de mes enfants, que j'avais du mal à les consoler et que, malgré mes efforts, je n'arrivais pas à le remplacer auprès d'eux. Finalement, je leur ai avoué que je ne savais pas comment vivre cette épreuve. Ils me dévisageaient, figés et sans voix. Je revois leur visage blême et leur regard fixe. Pourtant, je ne pleurais pas. Je profitais seulement de leur amitié pour parler un peu de ma vie depuis l'accident. Erreur. Ils ne sont jamais revenus. Je suppose qu'il aurait été plus convenable de me taire ou de faire comme si? Pourtant, ils avaient fait ce voyage pour m'apporter cet article de journal. Fallait-il que je me limite à les remercier, à ne parler que de la pluie et du beau temps? La mort de mon mari n'était-elle qu'un fait divers parmi d'autres? Eh bien, non, pas pour moi!

Comment aurais-je pu accepter ce que tous s'acharnaient à ignorer devant moi?

J'essayais de comprendre le comportement de mes amies. Peine perdue. Elles m'ont toutes délaissée complètement, alors qu'autrefois nos rencontres étaient assidues. De plus, les membres de ma famille et de ma belle-famille habitaient loin. À cette époque, on n'utilisait pas le téléphone aussi facilement qu'on le fait aujourd'hui. Personne n'appelait ou ne venait à la maison comme avant. On espérait peut-être me voir faire les premiers pas? J'en étais incapable. On attendait peut-être que je retrouve ma joie de vivre? J'avais tellement besoin de quelqu'un à qui dire ma peur de m'écrouler ou de perdre la raison. J'étais démunie devant la souffrance de mes enfants et j'avais besoin de conseils. Je comprenais que personne n'ait le goût de me voir ou de m'entendre. On craignait sans doute que j'éclate en sanglots et, alors, on n'aurait pas su quoi faire. Pourtant, c'était moi qui avais besoin d'être rassurée, pas les autres. Je constatais avec amertume que la tragédie avait emporté bien plus que mon compagnon de vie, elle m'avait condamnée à l'isolement. J'ai fini par me résoudre à faire comme tout le monde : ignorer ma réalité. Seulement, j'avais trois enfants. Et des tas de souvenirs.

J'avais reçu des centaines de cartes et de nombreuses lettres de sympathie d'un peu partout. Beaucoup venaient de gens que je n'avais jamais vus ni connus. J'avais bien tenté d'y répondre à quelques reprises, après le coucher des enfants, mais chaque fois je fondais en larmes, incapable de m'astreindre à cette tâche. Je la remettais donc à plus tard. Puis j'ai dû me rendre à l'évidence, il me fallait de l'aide pour venir à bout de cette corvée. J'ai donc appelé à la rescousse celle qui m'affirmait dans le passé qu'elle me considérait comme sa sœur. J'étais sûre qu'elle comprendrait et qu'elle viendrait m'aider, même si elle m'avait évitée, elle aussi. « J'irai dès que possible », me promit-elle, sans enthousiasme. Elle n'est pas venue. Ni personne d'autre.

La plupart du temps, je me sentais gelée, glacée même. Peut-être parce qu'une lucidité froide m'habitait depuis les premiers moments. C'est ce qui m'a permis de comprendre que mon entourage ne pouvait rien pour moi. J'étais la seule personne capable de supporter ce que je vivais; je devais me donner à moi-même l'encouragement dont j'avais besoin. Hélas! la force me manquait souvent pour faire face à ma situation et je cédais à la panique.

Je n'ai pas tardé à saisir qu'il ne fallait plus pleurer. Même pas dans mon oreiller. Par crainte de m'affaiblir et de tomber malade. Je devais faire fi de mes incapacités et de mes émotions et retrouver un fonctionnement normal le plus rapidement possible. Avant tout, il me fallait redonner à mes enfants le maximum de sécurité et d'amour, même si je n'avais à leur offrir qu'un pâle reflet de ce que nous avions vécu avant le drame. Je me suis accrochée à la routine quotidienne pour garder un certain équilibre. Je me forçais à concentrer mon attention sur les tâches à accomplir et j'en retirais un certain soulagement intérieur.

J'étais devenue incapable de prier, tellement je me sentais vide. Parfois, cependant, je prenais le livre des Psaumes, dans lequel j'avais lu et relu un passage, la veille de l'accident. Je le plaçais tout simplement sur mon cœur pour me rappeler que ces mots avaient déjà eu un sens sacré pour moi. Ce petit rituel agissait à la manière d'un calmant et je réussissais à m'endormir. Dans ces moments de bouleversements extrêmes, je me suis obligée à croire et à me répéter que l'étincelle divine ne pouvait m'avoir quittée, qu'elle brillait toujours au fond de mon âme, même si je ne la sentais plus. Je me suis cramponnée à cette croyance autant qu'à la volonté de rester debout pour mes enfants. J'y ai mis toutes mes énergies. Oui, c'est ce qui m'a empêchée de m'effondrer. Un jour, dans un moment de clarté glaciale, j'ai compris qu'il ne pouvait pas exister de souffrance inutile. À quoi rimerait la vie autrement et, surtout, pourquoi continuer à vivre?

Pendant que j'essayais désespérément de trouver un sens à ces événements, je me souviens très bien avoir juré à l'Univers et m'être juré à moi-même que je ferais tout pour retrouver l'équilibre perdu. J'ai déclaré en mon âme que je me sortirais de cette détresse. Quelle importance que je ne sache pas comment, j'apprendrais sur le tas! De rage, je me répétais encore et encore que cette souffrance ne pouvait, ne devait et ne serait pas inutile. Jamais! Cette détermination, renouvelée jour après jour, m'a tenue et poussée en avant. Cela et rien d'autre.

16 juillet – Je suis à bout de nerfs. Je me sens sonnée comme si mes trillions de cellules étaient tendues à l'extrême. Je ne sais plus trop où cette démarche me mène. Par moments, j'oublie toute notion du processus de guérison et je ne souhaite qu'une chose : être anesthésiée,

tellement je suis obnubilée par ma souffrance. Mais le point de non-retour est dépassé depuis longtemps. Je ne peux ni reculer ni fuir. Je ne peux que continuer, avec l'espoir d'arriver le plus vite possible au terme de ce voyage.

Repose-toi un peu. N'oublie pas que tu as survécu à tout cela...

Rencontre avec la thérapeute de l'hôpital. – Je lui dis à quel point je trouve éprouvant ce qui se passe en moi et qu'il m'arrive de vouloir m'y dérober. Elle ne s'étonne pas de mes réactions et se montre compréhensive. Aujourd'hui, je réussis à lui confier ce qui m'alarme au plus haut point depuis quelque temps. Je n'ai pas osé en parler jusqu'à maintenant parce que je craignais d'amplifier mon malaise et de me mettre à hurler jusqu'à la folie. Mais je suis à bout, je n'en peux plus.

Tant bien que mal, j'essaie de lui expliquer la nature de ce malaise. Il m'arrive de plus en plus souvent d'avoir l'impression que ma tête est sur le point de s'arracher et d'éclater en morceaux. Subitement. À tout moment. Cette sensation m'est insupportable. Elle me fait frissonner au point que je dois me secouer en tous sens pour chasser cette image épouvantable. Mais rien n'y fait. L'affreuse impression d'arrachement et d'éclatement revient en une fraction de seconde et me laisse dans un état d'affolement total chaque fois. Elle se manifeste surtout dans un moment d'inattention ou de détente, souvent quand je conduis sur l'autoroute. Je suis parfois obligée de m'arrêter sur l'accotement, tellement j'en suis incommodée. Je ne peux plus le supporter. Il y a des jours où le malaise revient plusieurs fois d'affilée, j'en éprouve du vertige, de la nausée même. C'est pénible et sinistre à la fois. Je ne sais pas comment arrêter ce supplice. La thérapeute me réconforte et m'encourage à laisser remonter les moindres détails, même si l'exercice est dur et peut provoquer de tels effets. Elle m'invite à l'appeler chez elle, au besoin, pour parler, peu importe l'heure. Sa confiance dans mon cheminement me rassure. Je suis soulagée d'avoir réussi à en parler.

Ce terrible malaise passera comme toute chose, sois-en certaine...

Le reste de la journée s'écoule dans la détente, à écouter le chant des oiseaux et à me réchauffer au soleil. En soirée, ma mémoire reprend le fil des événements.

17

On m'avait aussi caché ce qui se passait en ville, avec monsieur le curé et sa soudaine répulsion pour l'exposition des morts. J'ai fini par l'apprendre. Il s'était dépêché d'avertir les autorités de la ville que la dépouille de mon mari n'entrerait pas dans « la maison de Dieu ». Le souvenir de son appel téléphonique, le matin même de l'accident, m'a remplie de dégoût.

Le corps devait être repêché le lendemain de l'accident. Je n'ai su que plus tard, par hasard bien entendu, qu'on l'avait retrouvé mais qu'il manquait une partie de la tête. Il a fallu chercher au fond du lac. Lorsque j'ai demandé à le voir, on m'a annoncé que ce ne serait pas possible, que le cercueil serait fermé. Sans aucune explication. On croyait, sans doute, que je pouvais deviner qu'un morceau de la tête manquait. J'en étais incapable. Finalement, on m'a parlé d'une autopsie. Je n'arrivais pas à comprendre que ce soit si long. Je sentais qu'il se passait des choses anormales. On chuchotait dans mon dos, on évitait mes questions. Longtemps après, j'ai su que le corps de mon mari avait été entreposé pendant deux jours à la caserne des pompiers, à deux pas de la maison, en attendant que le curé revienne à de meilleurs sentiments. Beaucoup plus tard, j'ai appris que l'affaire avait été réglée parce que certaines personnes, mises au courant des agissements du prêtre, avaient menacé de le chasser de la ville. Ils avaient réussi de justesse à lui faire entendre raison. On aurait dû m'informer de tout, me consulter même. N'étais-je pas la personne la plus concernée? On me traitait comme un être diminué et impuissant. Évidemment, on le faisait avec les meilleures intentions du monde. C'est à peine croyable!

J'ai pu enfin me rendre auprès du cercueil qui « resterait fermé », avait-on pris soin de me rappeler. J'ai demandé qu'on me laisse seule avec mes enfants et les membres de ma famille. Peine perdue. Il y avait déjà sur place des dizaines de personnes et nous étions privés de ce moment d'intimité.

Après les funérailles, tout le monde fut convié à un repas. Les membres de ma belle-famille m'annoncèrent à ce moment précis qu'ils devaient repartir. Sur-le-champ. Devant mon étonnement et mes questions insistantes, ils inventaient toutes sortes de raisons pour m'expliquer ce départ précipité. Je sentais bien qu'ils étaient mal à l'aise, je pouvais le palper. Ils tentèrent de me convaincre qu'un beau-frère, qui n'avait pu venir aux funérailles, était gravement malade. Toute la famille devait se rendre à son chevet, il s'agissait d'une maladie très grave, insistait-on. Pourtant, nous n'en avions jamais été informés. Cette maladie si soudaine était suspecte. Alors, j'en ai eu assez des jeux de cache-cache. J'ai demandé qu'on arrête de me raconter des histoires et qu'on me dise ce qui se passait. Après quelques hésitations, ils ont fini par m'apprendre que ce beau-frère absent avait perdu la vie dans un accident de voiture, alors qu'il était en route pour les funérailles de mon mari. Mort sur le coup. Son épouse et sa petite fille, blessées. La famille doublement éprouvée devait repartir sans tarder pour d'autres funérailles. Il était impossible de l'annoncer tout de suite à ma belle-mère, selon eux, et ils comptaient sur ma discrétion. « Quand comptez-vous le lui dire? ai-je réussi à marmonner. — En route. » Abattue par cette nouvelle, je suis allée d'amis en amis et d'un membre de ma famille à un autre, en demandant : « Le savais-tu? » Tout le monde le savait, bien sûr. Sauf deux personnes. Une vague de froid me pénétrait jusqu'aux os. En même temps, j'avais l'impression que mon cerveau se rétrécissait. Je me sentais isolée, au cœur d'une situation lamentable et au milieu d'une foule de personnes qui me tenaient en retrait. J'observais la scène comme si j'avais eu des yeux tout le tour de la tête. Je me rendais compte que tout le monde se sentait doublement affligé. Ils agissaient pour le mieux dans les circonstances, même s'il fallait pour cela nous ignorer, ma belle-mère et moi. Je me suis assise à ses côtés. Que dire? Rien, puisqu'elle ne savait rien et ne devait rien savoir pour le moment. J'étais prise au piège maudit du silence et du « faisons comme si ». Je suis donc restée sans voix, auprès de cette femme délicieuse qui venait de perdre deux fils. Nous nous sommes embrassées une dernière fois, toutes deux tremblantes. En me quittant, elle a murmuré à mon oreille des mots qui ressemblaient à une prière. J'étais déchirée à la pensée de ce qu'elle apprendrait en route.

17 juillet – Je commençais à redouter que cette kyrielle de chocs n'ait raison de moi. Une angoisse me prenait à la gorge dès que je me retrouvais seule après le coucher des enfants. J'étais assaillie de pensées effroyables, difficiles à chasser. J'étais hantée aussi par la peur que la mort s'en prenne à mes enfants ou à moi. Je craignais de m'endormir, de peur de ne plus me réveiller et que mes enfants soient abandonnés à ce monde incohérent. À qui dire cette peur mortelle? Ceux et celles qui m'observaient se disaient sans doute entre eux que j'allais m'en sortir, comme toute personne affligée d'un deuil. Cependant, dès que je me retrouvais seule, les hurlements d'horreur que j'entendais au fond de mon être prenaient le dessus. Comment parler à ceux qui m'isolaient et qui me regardaient de loin? Comment leur dire ma stupeur de comprendre que l'hélice avait coupé dans la tête de mon mari, à l'endroit même où j'avais ressenti la douleur à ma mâchoire, quelques heures à peine avant l'accident? Comment dire que quelqu'un hurlait à l'intérieur de moi? À qui aurais-je pu dire que j'avais vu la date de l'accident, en rêve? Je n'avais personne à qui raconter mes tourments pour les exorciser. Personne ne semblait tenir compte de l'état de choc dans lequel j'étais. Mon entourage semblait même étonné que je sois incapable d'imaginer ce qui se déroulait à mon insu. C'est dur à croire, mais c'est ce que j'ai vécu. Il n'est pas surprenant que la douleur se soit mise à crier si fort en dedans de moi. Tout le monde était sans doute atterré par l'horreur des événements et il n'y avait pas d'équipe de psychologues pour nous aider à dépasser le traumatisme, comme cela se fait de nos jours. Je n'aime pas le dire, mais nous n'avions aucune aide. Ou plutôt si. Il y avait moi.

Ma fille aînée ne voulait plus voir ses amis ni même retourner à l'école. Je la comprenais très bien. Quelqu'un lui a même recommandé de ne plus pleurer : cela faisait de la peine à sa mère qui avait tant besoin d'elle… On l'a emmurée dans sa douleur, elle aussi.

Voyais-tu tout cela, mon pauvre amour? Sentais-tu notre profond désarroi?

Souvent, je devais m'arrêter pour me ressaisir et me calmer. Pour tâcher aussi de me rendre à l'évidence de sa mort. Il m'arrivait de penser que ma peine pouvait le retenir près de nous et l'empêcher d'aller vers la lumière infinie. Je priais alors pour qu'il puisse s'élever plus haut, toujours plus haut, répétant à travers mes larmes : « Conduis-le, ô très douce Lumière, conduis-le. »

Cette tragédie n'en finissait plus de me révéler l'envers de la vie et d'un monde qui m'apparaissait de plus en plus détraqué. Rageant de voir mes amies changer de trottoir à mon approche, j'ai fini par foncer et exiger de l'une d'elles qu'elle m'explique clairement les raisons de son comportement depuis les funérailles. Devant mon insistance, elle a avoué qu'elle et les autres ne venaient plus à la maison « parce qu'on ne peut plus voir son fauteuil vide ».

Et moi, je pouvais? Et sa place vide à table... et dans mon lit... Je pouvais voir ça aussi?

Quelque temps après, celle que j'estimais être ma meilleure amie m'a fait la surprise d'une visite. Elle est arrivée avec la cassette d'une chanson enregistrée par une artiste dont mon mari admirait la voix. « Tu vas l'aimer », m'a-t-elle assurée. Et elle m'a fait entendre « Nous ne vieillirons pas ensemble » (le titre n'est peut-être pas exact, qu'importe). Elle l'a fait en me fixant des yeux. Pour voir si je n'allais pas craquer? Peut-être, je ne sais pas. Peu importe ses raisons. J'ai préféré croire qu'elle était totalement inconsciente de l'impact de son geste, sinon comment aurais-je pu m'empêcher de me lancer sur elle pour la mordre? J'arrivais difficilement à respirer, tant j'étais étranglée par la peine.

Non, la douleur n'a pas de mots. C'est sans doute pourquoi elle reste secrète et à l'abri des sans-conscience.

Après son départ, je me suis jetée par terre en sanglotant. À travers mes larmes, j'ai compris, une fois pour toutes, que je ne devais plus compter sur personne pour redonner un sens à mon existence. En me relevant, j'ai senti une force me soulever et me soutenir dans le dos, comme une grande main. J'ai juré alors que je ferais tout pour protéger ma santé et vivre le mieux possible pour mes enfants. J'ai déclaré à voix haute qu'un jour nous serions bien de nouveau, même si plus rien n'était comme avant. En marchant de long en large dans la maison, je répétais fermement, en séchant mes larmes : « Surtout, que notre souffrance ne soit pas inutile. »

Aujourd'hui, je comprends que la colère et la révolte, face à ceux et celles que j'avais cru mes amis, m'ont aidée à rebondir. Quand ces énergies se sont mises à bouillonner en moi, elles m'ont servi de tremplin pour dépasser mes peurs et pour aller au-delà des moments les plus difficiles. Ce fut ma planche de salut.

Mes enfants ne cessaient de demander à quel moment leur père allait revenir de voyage. Ils me suppliaient d'aller le chercher. Nous l'avions bien vu partir, mais nous ne l'avions jamais vu mort. Ils attendaient donc son retour. Souvent, je l'avoue, je devais m'arrêter pour me situer dans la réalité, car je ne savais plus très bien s'il allait revenir de voyage, comme le croyaient et le demandaient mes enfants. J'entendais pourtant des gens dire qu'il était mort. Mais ce mot sonnait tellement faux. J'étais même incapable de le prononcer. J'employais plutôt le terme « parti » quand je devais parler de lui. Mon désarroi ne faisait qu'augmenter face à ce refus de le dire mort, car les événements démontraient le contraire. Je n'avais quand même pas perdu la mémoire! Mais, bousculée sans cesse par une réalité que j'étais incapable ou que je refusais d'accepter, j'avais pris l'habitude de la mettre de côté pendant de longs moments. Cette mise à l'écart me permettait de tenir le coup et de continuer. Je me sentais cependant dans un état de contradiction et de confusion. Aujourd'hui, il m'apparaît bien clair que la souffrance est décuplée par le refus ou l'incapacité d'accepter le fait que la vie vient de basculer. Le choc de se retrouver subitement dans une direction totalement différente empêche d'y faire face. Sans doute est-ce là un mécanisme de survie nécessaire.

Je n'allais plus à l'église le dimanche, craignant d'entendre le prêtre annoncer que la messe était célébrée pour le repos de l'âme de mon mari. Nous y sommes allés une fois, pourtant, sans doute dans l'espoir de trouver un brin de réconfort. Je n'avais pas remarqué la dépouille exposée en retrait, à l'endroit réservé à cette fin, au fond de la chapelle. J'ignorais qu'il y avait eu un autre décès. En plein milieu de la messe, mon petit garçon s'est retourné et il a vu de loin le cercueil ouvert. Il s'est mis à crier : « Maman, c'est papa! C'est papa, dans la boîte! » J'ai dû l'amener près du cercueil et le soulever pour qu'il puisse voir que c'était un autre monsieur dans la boîte. Je ne sentais plus mes jambes et j'ai dû faire des efforts pour ne pas m'évanouir. Personne ne s'est donné la peine de venir à notre rescousse. Plusieurs pourtant avaient entendu et vu. À partir de ce moment, c'en fut fini de la messe, pour nous.

Ma santé a fini par se détériorer sans même que je m'en aperçoive. Je ne pensais qu'à garder la routine d'avant et à prendre soin de mes enfants. Je continuais à préparer des repas, mais je ne sais pas si je pensais à manger suffisamment. J'ai dû être hospitalisée quelques jours pour reprendre des forces. Aussi incroyable que cela puisse encore me sembler, les amies sont venues en bloc me visiter à l'hôpital. « Tu te laisses aller! » m'ont-elles dit en chœur, en me tapotant l'épaule. Après leur départ, une infirmière, qui avait été témoin de la scène, m'a suggéré de faire interdire les visites. J'étais d'accord.

Peu de temps après ce séjour à l'hôpital, je me suis rendue dans ma famille. À me détendre au soleil, le calme s'est fait, peu à peu. Les enfants jouaient avec leurs cousins et retrouvaient le sourire. L'hospitalité de mes sœurs était sans borne. Un véritable baume. Je goûtais ces moments où je pouvais enfin me détendre. Surtout, je retrouvais un sentiment de sécurité. Les hurlements intérieurs sont devenus feutrés, tolérables.

Dans ma famille, on gardait le silence sur les événements qui dataient déjà d'un an. Devant leur bonté et leur générosité, je ne sentais pas le besoin de montrer mes plaies. En outre, j'avais passé cette année-là à me débattre seule, dans des circonstances qu'il m'aurait été bien pénible de relater. J'étais devenue incapable de dire mon vécu. Je n'avais pas le goût d'assombrir le bien-être que je goûtais. C'était si bon me retrouver parmi les miens. Tout semblait plus léger.

J'ai vite compris que nous ne devions plus retourner là-bas. Qu'il ne fallait plus vivre dans cette maison où tout parlait de lui. Je me suis imaginé qu'il serait relativement facile de tourner la page si je déménageais près de ma famille. Quelques démarches m'ont appris que je pourrais trouver un emploi facilement. Enfin, l'espoir!

Je n'ai mesuré l'ampleur d'un tel déracinement qu'après le déménagement. C'est profond, des racines de quinze ans! Je ne m'attendais pas à cela. Ce fut le véritable début de mon deuil.

J'ai dû me départir de plus de la moitié de nos biens parce que nous devions nous ajuster à un appartement de trois chambres, avec un balcon comme cour. Je prenais amèrement conscience que la perte de mon conjoint entraînait bien d'autres pertes. Il n'a pas été facile, ni pour les enfants ni pour moi, de nous adapter aux limites d'un appartement et à un autre style de vie, dans un environnement étranger. Plus rien n'était comme là-bas, où nous avions vécu dans une grande maison. Et nous n'étions plus en visite chez des parents, comme avant. Quand les enfants ont compris que cet endroit était notre chez-nous et qu'ils devaient aller à une nouvelle école, ils ont été mécontents, ils sont même devenus violents. Pas ma plus grande ou plutôt si, à sa façon. Les plus jeunes me frappaient de leurs petits poings en criant et en pleurant : « Va chercher papa » ou encore « Je veux retourner dans ma maison. » J'avais le cœur en lambeaux chaque fois que ma toute petite se lançait sur moi en sanglotant, poings en avant, et que mon petit garçon se frappait la tête contre le réfrigérateur ou contre un mur. Ils répétaient inlassablement : « Je veux voir papa. » Le regard assombri de ma grande m'était insupportable. Inutile de chercher des mots, une douleur comme celle-là ne se dit pas.

Je me savais capable d'apprendre à vivre sans toi, malgré les horreurs de la tragédie et le chagrin de ta perte. Mais il m'était insupportable de regarder nos enfants souffrir ainsi! Ce n'était pas pour les voir si malheureux que je les avais désirés et amenés à la vie. Non, mille fois non! M'entends-tu bien, mon amour?

Je me suis mise à en vouloir à la vie. Oui, j'en voulais à cette vie que j'avais tant aimée. Je croyais qu'elle prendrait soin de nous et nous soutiendrait envers et contre tout. Pauvre, pauvre naïve que j'étais! La vie s'était retournée contre nous, elle nous avait tout simplement abandonnés. Comment avais-je pu entretenir l'idée que la vie nous aimait! Idiote! Je n'en revenais tout simplement pas des illusions simplistes que j'avais entretenues. Je constatais avec fureur que je n'avais rien appris de la perte d'Alain, puisque j'avais renoué avec la candeur de ces années-là. Pourquoi ne m'étais-je pas fermée au bonheur, après la perte de mon fils, au lieu de me laisser attendrir en oubliant que le bonheur se paie, tôt ou tard. Nous n'en serions pas là à tant souffrir aujourd'hui! Nous nous serions endurcis. Sans que je m'en rende trop compte, l'amertume se répandait en moi, comme du fiel.

Souvent, j'en voulais à mon mari d'être parti pour ce voyage sans retour. Je lui en voulais même d'être mort! J'avais l'impression de devenir folle. Comment peut-on en vouloir à un mort pour sa propre mort? C'était lui, qui avait perdu la vie, pas moi! Je sentais que je déraillais et je ne savais comment me remettre d'aplomb. Nous étions là, dans la douleur vive, ignorant que ce que nous vivions était normal et que le processus du deuil est un chemin long et difficile. Surtout lorsque la mort est si soudaine et qu'il est impossible de voir la dépouille de l'être aimé. Personne non plus pour nous bercer dans les moments de grande tristesse. Nous en aurions eu besoin tous les quatre. Du moins, occasionnellement.

La nuit, quand je ne dormais pas, j'essayais de l'imaginer mort. Je me consolais en me disant qu'il était « parti » heureux et serein, mais sa mort avait été si soudaine que je craignais qu'il ne sache pas ce qui lui était arrivé ni où il se trouvait. Cette pensée hantait mon esprit sans relâche. J'essayais de prier pour qu'il trouve rapidement le chemin de la lumière, si ce n'était déjà fait. Je tentais de l'imaginer dans cet ailleurs lumineux, en me souvenant qu'il avait toujours été un homme de cœur. Ses anges l'aideraient dans son ascension. « Conduis-le, ô conduis-le, très douce lumière! » était devenu mon unique prière.

Plus rien n'avait de sens pour moi, sauf mes enfants. Je fonctionnais comme une automate. Je me répétais que ma vie ne devrait pas être ainsi. N'étais-je pas loin du lieu des événements, ne commencions-nous pas une nouvelle vie? Je me composais des phrases rassurantes à me répéter pour chasser le découragement et les peurs qui m'empêchaient de dormir la nuit, mais j'étais incapable d'oublier et de tourner la page. Je pouvais bien faire comme si, cela ne changeait rien à ma réalité intérieure. Au contraire, je ressentais encore plus vivement ma détresse.

Je frissonne à l'évocation de ces souvenirs, ils m'oppressent et me donnent froid intérieurement. Je me rends au bord de la rivière chercher du vent pour sécher mes larmes et du soleil pour réchauffer mon âme. Je reste un long moment à regarder le courant qui scintille de lumière tandis que le vent dépouille mes souvenirs de leur amertume. Que ce grand air me fait du bien!

Oui, comme un grand vent du large...

18 juillet – Des détails restés en retrait remontent maintenant en vrac : par exemple, cette sensation constante d'avoir un bloc de glace dans le dos. Je me levais et je me couchais avec ce froid. La panique aussi, la panique de penser qu'il n'y avait rien devant moi, sauf un grand trou noir, à mes pieds, précédant chacun de mes pas. Cela m'angoissait au point que mes jambes se mettaient parfois à trembler, même si je savais que ce trou n'existait que dans mon âme effrayée.

Je m'obligeais à sortir pour voir du monde, mais il m'arrivait souvent de me sentir prise de vertige. Tout semblait vaciller sous mes pieds ou autour de moi. Cela se produisait surtout quand je marchais dans la rue et même quand j'allais dans les centres commerciaux. Je devais alors m'asseoir et attendre que cessent ces tournoiements intérieurs. Je regardais les passants dans le mail, me disant que toutes ces personnes allaient à leurs affaires sans vaciller. Il y en avait sûrement parmi elles qui vivaient aussi des tragédies. Je prenais de longues respirations et je me disais qu'un jour tout se stabiliserait pour moi aussi, que demain serait un jour nouveau et que tout irait mieux. Je rentrais en espérant que ce temps passé à observer les gens finirait par me prouver que la vie pouvait encore être normale. Agir comme tout le monde m'aiderait à vaincre le terrible déséquilibre que je ressentais. C'est ce que je me répétais, encore et encore.

Évidemment, il m'était impossible d'aller travailler dans cet état. J'avais mal partout et je dormais peu. Je devais d'abord retrouver l'équilibre, sur tous les plans. Je n'avais pas le cœur à parler. Je craignais qu'on me pense malade ou incapable de prendre soin de mes enfants. Je déprimais facilement lorsqu'ils étaient à l'école et que je me retrouvais seule dans un appartement où je ne me sentais pas encore chez moi. Toutefois, lorsque je rencontrais des membres de ma famille, j'arrivais à dépasser tout cela. Surtout en compagnie de mes sœurs. Je ne parlais jamais ou très rarement de l'état intérieur dans lequel je me débattais pour ne pas saboter ces moments si précieux. Nous parlions de tout et de rien, avec humour. Cette bonne humeur coulait à pic dès que je me retrouvais seule. J'en étais agacée et je prenais conscience de ma difficulté à trouver, par moi-même, l'état de légèreté que je ressentais en leur présence. Malgré mon trouble, je me disais que j'y arriverais.

Un jour que je me promenais dans un magasin, je me suis arrêtée devant un étalage de petites plantes d'intérieur. L'une d'elles a si bien capté mon attention que je me suis mise à sourire, non seulement sur mon visage mais à l'intérieur. Je me rappelais combien j'avais aimé, jadis, cultiver des plantes. Je l'ai achetée immédiatement. J'avais hâte de la montrer aux enfants. Chaque matin, après leur départ pour l'école, je la plaçais sur la table pour prendre mon petit déjeuner en sa compagnie. Je passais aussi quelques minutes à l'admirer avant de me coucher. Elle me faisait tant de bien. Je l'ai nommée : « Annabelle ». Un matin, j'ai remarqué un petit épi qui poussait dans son cœur. Tous les jours, je prenais le temps de le regarder grandir. J'en étais émerveillée. J'avais hâte de voir jusqu'où irait cette croissance. Un beau jour, il était tout fleuri. J'ai appelé les enfants pour que nous puissions admirer « Belle » ensemble. Elle était magnifique, une splendeur. Je revois encore ces petites fleurs toutes roses. À la regarder, des dizaines de fois par jour, à méditer sur sa croissance, j'ai compris que nous étions, nous aussi, pleins de vie et que, malgré nos peines, nous retrouverions la joie de vivre. « Belle » me le démontrait magistralement. C'est elle qui m'a redonné espoir et confiance. Comme je lui suis reconnaissante !

Un an après le déménagement, j'avais récupéré suffisamment de stabilité et d'énergie pour commencer à chercher un emploi. J'avais besoin d'un travail absorbant et valorisant. J'ai trouvé rapidement ce qui me convenait, bien que le salaire me permette tout juste de boucler le budget. Qu'importe, l'essentiel était de me sentir bien dans mon travail, je n'en demandais pas plus. Mais les problèmes ont pris de l'ampleur. Le stress d'avoir à prendre des décisions et d'élever des enfants seule, la fatigue du travail et des heures de pointe, les nombreuses corvées à faire le soir et les fins de semaine, tout cela pesait sur mes épaules. J'avais l'impression de porter une charge de plus en plus lourde avec les années. J'essayais de donner à mes enfants une vie normale, avec tout ce que cela comportait. Les fins de mois sont devenues difficiles. Je calculais sans cesse dans ma tête pour épargner, dans l'espoir qu'un jour je réussirais à ajouter suffisamment d'argent au montant de l'assurance versé au décès de mon mari pour acheter une maison. Les enfants grandissaient et ils avaient besoin de plus d'espace. Leur bien-être était mon unique but. En dépit de mes efforts, le combat de chaque jour juste pour exister devenait pénible. Je m'étais laissée happer par les difficultés de la vie moderne, par la solitude et par les perturbations d'un deuil difficile.

Face aux tragédies qui fauchent ceux qu'on aime
et changent le cours d'une vie,
face aux obligations toujours plus pesantes
du train-train quotidien de la vie,
face aux produits chimiques et aux hormones
dont ma nourriture est remplie,
aux radiations qui me bombardent en tous sens,
aux tuyaux d'échappement et aux cheminées
qui empoisonnent l'air que je respire,
face à la violence faite aux plus faibles,
à la drogue qui circule dans les corridors des écoles,
à ceux qui tuent pour obtenir de l'argent
ou parce qu'ils ne peuvent tolérer la différence des autres,
face aux guerres et aux massacres d'innocents,
au nom de Dieu ou de l'épuration ethnique,
face à tous les obstacles sur mon chemin,
je refuse de plier les genoux.

Je veux que s'écroulent les murs que la peur érige en moi
et faire quelque chose de ma vie.
Je veux que mes enfants retrouvent le bonheur.
Oui, je veux croire encore en la promesse de la vie abondante,
mais je dois demander aide et secours au Ciel.

Que mon âme soit comblée de paix.
Que mon corps soit vivifié par la joie.
Que mon cœur s'ouvre à la bonté
et que la lumière éclaire mes pensées.
Que l'entraide, la bonne volonté et l'amour

remplacent la haine et la violence,
sur la terre tout entière,
pour que chaque jour qui m'est donné
me remplisse d'espoir et de gratitude.
Et qu'à la tombée de la nuit,
je m'endorme dans la confiance et dans la sérénité.

18

19 juillet – Je marche dans la rosée que le petit matin a déversée en abondance. Le soleil croissant dépose sa lumière sur chaque gouttelette et les fait miroiter comme du cristal liquide. Les brins d'herbe et chaque fleur de mes plates-bandes s'abreuvent de ce nectar chargé d'énergie vitale. Ne suis-je pas, moi aussi, semblable à une plante? Mes pieds ne sont-ils pas des racines capables de capter les énergies que la terre, arrosée de lumière, dispense si généreusement à tout ce qui vit? Comme la plante, moi aussi je croîs. Les arbres tout autour sont pleins d'oiseaux qui chantent leur joie devant la vie qui s'éveille. Tout resplendit dans l'éclat bleuté et fluide du matin. Mon cœur s'ouvre à la grandeur de ma poitrine pour contenir la joie que m'offre la nature. La lumière pénètre tout mon être. Je reste un long moment à m'en gaver. J'en ai un tel besoin. Elle est ma vraie nourriture. Je n'ai qu'à m'offrir à ses chauds rayons, comme le font les plantes, pour qu'elle se répande en moi, de cellule en cellule. Quelle délectable sensation de plénitude!

Que l'espoir et la lumière me nourrissent tous les jours de ma vie!

La lumière, qui éclaire tout, a ouvert une autre porte dans mon espace intérieur. Une petite enfant s'y trouve et me regarde, les yeux mouillés de larmes. Je l'entends murmurer : « Maman »…

20 juillet – Rencontre avec C. – Je me sens portée par un courant d'énergie intense à mesure que je plonge profondément dans le centre de moi-même. Je retrouve la petite fille aux yeux mouillés, recroquevillée sur elle-même, le regard fixé sur moi, comme si elle attendait tout de moi. Elle me rappelle une autre enfant, triste et seule, dans un lit d'hôpital… Pourtant, je ne fais rien encore pour m'en approcher.

Demain, je partirai vers la mer. J'irai humer l'air salin à pleins poumons, retrouver le grand vent du large et la vague qui se fracasse sur les rochers. Je marcherai pieds nus sur la grève, traînant de longues algues de varech derrière moi, comme autrefois. Je retrouverai la Grosse Roche de mon enfance et les autres sur lesquelles nous aimions tant courir et sauter. Je me laisserai griser de soleil et de vent, de nuages moelleux aussi. J'observerai la marée et je passerai des heures à marcher dans l'eau, à la recherche d'agates que le reflux de la vague aura déposées sur le sable. Je fouillerai la grève en quête de petits cailloux pour ajouter à ma collection. Je regarderai les bateaux rentrer au quai et, à la fin du jour, je m'assoirai au bord de l'eau pour me laisser transporter par la beauté du soleil couchant. Comme j'ai hâte! Là, au bord de la mer et dans le vent, la petite enfant qui pleure en moi retrouvera la confiance et la joie. Du moins, c'est ce que j'espère très fort.

27 juillet – Je reviens de mon séjour à la mer, mais sans la légèreté et l'enthousiasme que j'espérais y trouver. Une certaine lassitude persiste. Un manque de je-ne-sais-quoi. Je ne m'attendais pas non plus à ce que ce court voyage me fatigue à ce point. J'ai rapporté des petits cailloux et des agates et même des algues que j'ai ramassées et fait sécher au soleil. Elles regorgent encore de l'énergie de la mer, du soleil et du vent. Je les utiliserai pour mes bains de mer maison.

30 juillet – Rencontre avec C. – Il est au téléphone lorsque j'arrive. Un homme est assis à la table en train d'écrire. Il relève la tête et me salue. En attendant que C. soit prêt, je sors la pierre que je lui ai rapportée. L'homme à la table demande à la voir. Je la lui montre en lui expliquant le symbolisme que j'y vois : la forme pyramidale, pour indiquer que l'on va tous vers le sommet; le côté blanc de la pierre, pour nous rappeler que la lumière nous accompagne et, sur le devant, une forme qui fait penser à une madone. « Nous ne sommes pas seuls pour le voyage », semble-t-elle nous dire. Il la garde longuement dans sa main, pour apprécier ce qui s'en dégage peut-être.

Dès que les mains du thérapeute se posent sur moi, je reprends rapidement contact avec l'énergie et je me laisse entraîner là où elle veut bien m'emmener. Une rivière coule à travers moi et elle aspire les derniers débris qui traînaient çà et là. Parfois, je sens mon cœur trembler, parfois, c'est une sensation d'arrachement sous la cicatrice de ma poitrine. Puis, une pulsation s'installe, comme c'est souvent le cas, accompagnée d'une couleur indigo et de picotements. Je perds la notion du temps et de l'espace. Quand finalement je me sors de cette demi-transe, je suis totalement rafraîchie, comme après une bonne nuit de sommeil. Au moment où je m'apprête à partir, je remarque que l'homme à la table est toujours là. Je lui tends la main pour le saluer, mais il la garde dans la sienne, tandis que son regard m'enveloppe. J'ai la sensation nette de glisser jusqu'à la racine de ce regard dont la limpidité fait penser à un pur cristal. Ce bref instant semble s'allonger, hors du temps. Je quitte la pièce en savourant la joie de cet échange d'âme à âme. Quelle étrange rencontre! Je me sentais chez moi dans ce regard, en pays connu. *Déjà vu?* Nous sommes-nous connus autrefois, dans une autre vie, ou ai-je simplement reconnu ma propre essence dans la lumière de ce regard?

6 août – Aujourd'hui, tout se déroule en douceur. Je m'enfonce graduellement dans un espace qui m'est devenu familier. Là où ma conscience s'élargit et où mon corps est absorbé dans le calme et dans le bien-être. Je me sens restaurée, régénérée. Quelle merveilleuse sensation, quel bien-être!

Au retour de ma rencontre avec C., je passe le reste de la journée à me détendre au soleil avec un bon livre, puisque j'ai retrouvé ma capacité de lire, à la condition de ne pas en exagérer la durée. Je me sens de mieux en mieux. J'ai l'impression de sortir d'un banc de brume. En tout cas, j'ai perdu la crainte qui m'obsédait de ne pas réussir ma guérison. Il m'arrive maintenant de penser que j'y suis même parvenue. Sans doute, le vent du large, là-bas, au bord de la mer, y est-il pour quelque chose. C'est drôle à dire, mais j'ai l'impression d'être encore enveloppée dans ses effluves. Vraiment, ce voyage m'a été plus profitable que je ne le croyais.

13 août – Aujourd'hui, à ma rencontre avec C., une autre thérapeute est là pour l'assister, comme elle le fait de temps en temps. Elle se tient tout près alors que C. garde les mains sur moi. Elle me parle doucement de la force de mon âme. Une force qui m'a soutenue tout au long de ma vie, affirme-t-elle. Elle ajoute toutes sortes de choses délicieuses, en même temps qu'une énergie subtile me berce. Soutenue

et bercée par… ? Je ne saurais dire, mais c'est d'une douceur exquise. Des éclats de lumière fusent et m'éclaboussent alors que je sens la pulsion de la vie dans mon corps.

L'étincelle brille toujours, m'apportant sans cesse plus de lumière.

Merci, mon âme, pour ce message. C'est merveilleux! Je suis contente de rentrer à la maison. Il fait si bon chez moi, quelle paix! Je me promène d'une pièce à l'autre, comme si j'habitais ma demeure pour la première fois. Il s'en dégage une douceur, une quiétude et une harmonie que je peux presque palper. Oui, c'est vraiment merveilleux! Je m'assois avec moi-même pour goûter ce cadeau.

20 août – « Le travail achève », m'annonce C. Je le sens aussi. Selon lui, il ne reste que quelques débris à éliminer. Je respire en toute confiance en me laissant emporter dans un tourbillon d'énergie : je me revois petite et seule. Mes parents sont bons et ils me donnent ce qu'il faut. La maison est chaude, même en hiver. Je me revois, marchant derrière papa qui laboure ses champs, fascinée par la terre qui s'ouvre de chaque côté de la charrue. Une terre toute chaude qui souffle, transpire et se laisse travailler docilement. J'aimais tellement suivre papa dans les champs et, surtout, marcher pieds nus dans les sillons fraîchement retournés!

Maman disait souvent : « T'es une grande fille maintenant. » À cinq ans, je pouvais parfois rester seule avec ma sœur infirme et mon autre sœur plus jeune, pendant qu'elle allait travailler dans son grand jardin ou soigner les poules ou traire les vaches. Je ne pleurais plus. J'étais « une grande fille ». J'ai compris rapidement que cela voulait dire : être raisonnable, ne pas pleurer et, autant que possible, savoir tout faire. Maman n'avait pas toujours le temps de me montrer comment faire les choses. Elle me faisait confiance et elle croyait que je pouvais me débrouiller dans les tâches qu'elle me donnait, mais je me sentais souvent gauche. J'aimais prendre ma sœur bébé pour lui donner le biberon ou la bercer pour l'endormir. J'adorais sentir sa joue si douce et la becqueter dans le cou. J'aurais voulu qu'elle reste bébé tout le temps pour mettre ma joue contre la sienne, la serrer et l'embrasser sans fin. Quand mes frères ne jouaient pas dehors, ils s'amusaient avec elle. C'était notre bébé à tous.

J'ai appris par moi-même que j'étais normale, que je n'avais pas à me sentir coupable ni à avoir honte d'être moi, bien au contraire. Lorsque mes enfants sont nés, je me suis sentie comblée et reconnaissante. Je savais si bien que l'enfance passe vite, alors je les ai pris dans mes bras, je les ai bercés à m'en soûler. Je leur ai donné toutes les caresses et toute la tendresse que je n'avais pas reçues, enfant. Comment aurais-je pu faire autrement? Cela me faisait si chaud intérieurement. L'amour que je leur donnais, je le prodiguais aussi à l'enfant en moi.

Aujourd'hui, je me sens comme lorsque j'étais petite. Si souvent craintive et désemparée. Puisque je ne pouvais pas pleurer parce que j'étais « une grande fille », c'est maintenant que je pleure.

C'est apeurant, le cancer...

Encore une fois, un grand coup de vent vient d'aérer mon âme. Je passe le reste de la journée à savourer cette douceur et cette légèreté qui m'habitent. Je me sens restaurée.

25 août – D'autres souvenirs d'enfance sont remontés à la surface depuis quelques jours. Sans doute font-il partie du processus de guérison. En tout cas, ils m'aident à mieux voir qu'enfant je trouvais la vie difficile. Peut-être ai-je été tentée de la fuir, inconsciemment bien sûr, par cette maladie qui m'a presque emportée à douze ans. Aujourd'hui, tout comme alors, quelqu'un met ses mains sur moi pour m'aider à guérir. Ne suis-je pas privilégiée? Je me félicite d'avoir entrepris cette démarche.

Je comprends encore mieux maintenant à quel point j'ai été désemparée de me retrouver seule avec mes enfants. Personne n'était là pour me rassurer et m'encourager quand j'en avais besoin. Toujours cette terrible solitude. La même que j'éprouvais à quatre ans, à l'hôpital. Et à douze ans, lorsque j'ai eu si peur de grandir que j'en suis presque morte. Je vois bien que je n'avais pas l'étoffe d'une fonceuse qui se bat pour obtenir ce dont elle a besoin. J'étais timide, craintive. Sans doute fallait-il qu'il en soit ainsi pour que je puisse découvrir et m'approprier les ressources intérieures avec lesquelles je suis née, mais qui avaient besoin d'être sollicitées pour se manifester.

C'est si facile de s'imaginer dépourvu, alors que l'on est bourré de richesses à l'intérieur...

Il n'y a que moi pour rassurer la petite fille qui a appris si tôt à devenir raisonnable. Je suis profondément touchée par cette enfant qui demeure en moi. Vraiment, moi seule connais les mots qu'elle aurait eu besoin d'entendre. Émue aux larmes, je les lui dis aujourd'hui, en l'entourant de mes bras : « Tu as du prix à mes yeux; je t'aime et tu peux compter sur moi, je ne t'abandonnerai pas. »

27 août – Rencontre avec C. – Sensation de brûlure à la poitrine. Une grande chaleur envahit mon cœur. Un cœur qui bat lentement, mais avec force. Tout à coup, un cœur plus petit se met à battre tout près. Comme c'est étrange, deux cœurs battant dans ma poitrine... Les battements du petit cœur sont rapides et faibles; on dirait qu'il flotte dans le haut de ma poitrine. Qu'est-ce que c'est? Mais, c'est mon cœur d'enfant! Un petit cœur oppressé et angoissé. Il est là maintenant à côté de mon cœur adulte. La brûlure est en train de le guérir, je le sens. Mon cœur d'adulte accompagne fermement et fièrement le petit cœur affolé. La brûlure cesse. Il n'y a plus qu'un seul cœur battant énergiquement dans ma poitrine. Je reste un long moment en contemplation.

Puis, comme dans un rêve, une image se présente à ma conscience. Je vois une jeune fille grande et mince. Elle porte un long voile translucide parsemé de diamants. Sa robe aussi est brodée de diamants; on la croirait habillée de lumière. Dans ses mains, elle tient un bouquet de fleurs resplendissantes de blancheur. Je la vois, de profil, s'avancer vers quelqu'un d'indéfini. Elle se dresse sur la pointe des pieds et elle embrasse cette forme. L'image s'estompe graduellement, puis s'efface tout à fait.

Sur le chemin de retour, je repense à cette image et j'essaie d'en saisir la signification. Tout à coup, je me rappelle que c'est aujourd'hui l'anniversaire de mon mariage!

Je sais bien que c'est toi que j'embrasse. Je te sens bien, où que tu sois, dans l'éternité. Au point que je n'ai même pas besoin de voir ta forme. Tu as été un compagnon de route et un maître. Pour cela, je te remercie. Le chagrin de ta mort m'a longtemps fait oublier que c'est ton corps physique qui a été mutilé et non ton être indestructible et insensible à la douleur. Ce n'est pas un adieu, nous nous retrouverons, nous en sommes sûrs, aujourd'hui comme autrefois.

3 septembre – Je ne me lasse pas de savourer le délicieux bien-être que j'éprouve depuis quelques jours. J'ai la nette impression d'être sortie d'un épais brouillard. Je me sens légère et pétillante. Je suis heureuse sans raison précise. J'ai retrouvé confiance en moi de même qu'une certaine assurance dans mon plan d'action pour me protéger du cancer. Pour tout dire, je me sens neuve!

Aujourd'hui, je rencontre C. et son assistante pour leur faire part de cet état. Ils se réjouissent avec moi. Un processus comme celui dans lequel j'ai été attirée par le cancer est toujours long. Il exige une purification en profondeur, me dit C. Ce fut long, en effet. C'est l'impression que j'en ai. Voilà maintenant que j'en parle au passé. Bon signe.

Le nettoyage semble terminé. Je me sens comme dans une mer d'énergie où mon corps est semblable à un gros boyau ou, plus justement, à un canal. Une légère brûlure à la poitrine se dissout rapidement, elle est suivie d'un grand bien-être. Le souffle de vie reste libre et ample en moi, tandis que je perçois la pulsation indigo pendant quelques instants. La lumière s'étend et me baigne totalement. Je saisis qu'elle est l'essence de ma vie. C'est elle qui colore toutes choses et réchauffe les pires froids. Elle nourrit la terre de même que tout ce qui vit. Elle illumine ma conscience, elle y dénoue des nœuds. Elle me révèle ma vérité et m'assure que je n'appartiens ni au froid, ni à l'horreur, ni à la noirceur, ni à la peur. Les énergies lourdes qui m'ont longtemps habitée cachaient cette lumière sous un nuage sombre. J'en arrivais à croire par moments qu'elle s'était éteinte. Maintenant, tout est lavé et purifié. Une joie éclatante me remplit. En quittant mes thérapeutes, je me sens émue jusque dans les moindres replis de mon être.

Sur le chemin du retour, je conduis lentement pour mieux savourer la beauté du paysage. Je le connais si bien, mais il m'apparaît nouveau aujourd'hui. La verdure est d'un vert si ardent; le ciel, éclatant de bleu; la lumière du soleil, radieuse. Les feuilles des arbres et des arbustes miroitent de luminosité. Tout resplendit! Absolument tout! Je distingue nettement les fines particules de lumière qui remplissent l'atmosphère. Elles scintillent en tournoyant sur elles-mêmes. J'ouvre la fenêtre de la portière pour laisser entrer cette énergie vitale. Je lui dis un vibrant merci, car elle est ce qui soutient ma vie. Soudain, une colonie d'oiseaux arrivent de je ne sais où. Ils voltigent et piaillent gaiement tout autour de l'auto comme s'ils voulaient faire un bout de chemin avec moi. Je suis inondée de joie! Je la goûte pleinement, avec la conscience qu'elle dorlote chacune de mes trillions de cellules, qui s'en gorgent en dansant de bonheur.

Je me sens débordante de vie! Cette énergie qui circule librement en moi est le médicament ultime, le meilleur traitement que je puisse m'administrer. Elle est toujours à ma portée puisque qu'elle m'est intérieure autant que répandue dans la nature. Je n'ai qu'à m'en laisser nourrir. Je vois bien que tout autour de moi palpite sous l'effet de cette énergie. Mon cœur vibre intensément à la pensée que j'ai retrouvé ma capacité de capter ce que la nature offre de beauté, de joie, de paix. Je me sens fière de moi, transportée d'émotion. Toutes les portes de mon être sont grandes ouvertes. J'éclate en cascades de rires.

Octobre – Copain, mon cher et bon Copain n'est plus. Un cancer. Comme il l'a si bien fait pour moi, je l'ai accompagné à mon tour. Pendant quelques semaines, le vide de son absence a été difficile à supporter.

Quel bon ami tu as été, mon beau, mon cher, mon bon Copain! Tu étais toujours là pour lécher ma main, au moindre de mes soupirs. Je ne sais pas si je t'ai aimé autant que tu m'as aimée. J'en arrive même à me demander si, dans ton amour sans mesure, tu n'aurais pas pris sur toi le cancer qui cherchait à me détruire... J'ai vu tant de lumière dans tes yeux rivés sur moi. Merci pour l'amour fou que tu m'as démontré. Tu as été un bon chien, un ami attachant. Tu seras irremplaçable. Mon beau, mon bon Copain, je ne t'oublierai jamais. Je t'imagine bien entouré, gambadant de plaisir dans le paradis des chiens. Adieu, mon beau.

Novembre – Me voilà de retour au travail. Un retour progressif que je veux étaler sur plusieurs semaines. Libérée du stress, je me sens bien différente de celle que j'étais au début de cette année. J'ai une assurance et une confiance nouvelles. Même si la fatigue s'empare rapidement de moi et même si j'ai encore certains malaises, je vais de mieux en mieux. Je me réserve de fréquentes petites périodes de repos. Je continue mon plan de traitement ou plutôt ce que j'appelle maintenant mon « plan de santé », pour le renforcement de mon système immunitaire. Et je poursuis la décontamination de mon « mental ». Je m'offre de ces petits plaisirs occasionnels qui aident à vivre le quotidien. Je continue à rêver à ce qu'il y a de meilleur dans la vie et je prépare ma retraite.

Décembre – *Annus horribilis?* Je ne sais si je dois rire ou pleurer sur cette année qui bientôt sera passée. Pleurer devant les séquelles que le cancer a incrustées à jamais dans mon corps? Rire de soulagement, en pensant que cette année emporte avec elle mes tourments, mes peurs et tant de larmes? Non! Ce qui s'est passé dans mon corps et dans mon âme est trop empreint de sacré pour que je puisse en rire ou en pleurer. Dans mon être profond, il y a un espace où je peux m'agenouiller, me recueillir et contempler le travail que mon corps a accepté de souffrir pour que souffle en moi un vent de rédemption. Sans ce deuxième cancer, ultime effort de mon corps pour m'amener à guérir les blessures passées, aurais-je compris que le médicament dont j'ai tant besoin se nomme « lumière » et que je dois me le prescrire et me l'administrer moi-même? Aurais-je compris qu'aucun traitement, si réputé, si sophistiqué soit-il, ne peut redonner espoir, confiance et foi, à moins qu'il ne soit enrobé d'une épaisse couche d'amour? Alors seulement la guérison peut faire son chemin. Les cellules comateuses peuvent se réveiller et danser de bonheur dans cette nouvelle énergie de vie.

Je m'incline profondément devant la sagesse et la compassion de mon corps et je lui dis un vibrant merci! Aurais-je pu survivre sans lui?

AGMV Marquis

MEMBRE DE SCABRINI MEDIA

Québec, Canada
2002